ラストで君は「キュン！」とする

運命の初《はつ》恋《こい》

destined first love

PHP

なんで、いつも、あの人ばかり目で追ってしまうんだろう。

なんで、いつも、あの人の声ばかり拾ってしまうんだろう。

なんで、いつも、あの人はあの子ばかり見ているんだろう。

なんで、いつも、自分は何もできないまま、ただモヤモヤしているだけなんだろう。


だれかが、恋《こい》は甘酸《あまず》っぱいものだと言った。でも、それは、時間を置いて振《ふ》り返《かえ》った時に、その時の楽しさや切なさを美化させて、そう言っているだけだ。

きっと、恋《こい》の渦中《かちゅう》にいる時は、相手の言動にいちいち振《ふ》りまわされたり、自分の嫌《いや》な部分に気づかされたり、相手の気持ちはおろか自分の気持ちさえわからなくなったりすることもある。

気持ちが雲の上まで飛んでいったかと思うくらい舞《ま》い上《あ》がる日もあれば、地下深く潜《もぐ》ってしまいたいくらい落ちこむ日だってある。もしくは、一日のうちにそんな乱高下《らんこうげ》が何度もあったりもする。

とてもじゃないけれど「甘《あま》い」や「酸《す》っぱい」だけでは形容《けいよう》できないことの連続で、それは初恋《はつこい》だったらなおさらだ。自分の気持ちが、こんなにも操縦不能《そうじゅうふのう》だったのかと知るだろう。

でも、そんな恋《こい》を、やっぱりきれいにラッピングして心の棚《たな》に飾《かざ》っておきたい自分がいる。いつまでたってもキラキラして色褪《いろあ》せない思い出に「甘酸《あまず》っぱかったな」と微笑《ほほえ》んでしまう自分がいる。

そしてまた、こりもせずに新しい恋《こい》に落ちてしまうんだ。

さて、ここに、味も食感もちがう十九の恋《こい》の物語。その扉《とびら》を開けば、主人公たちの人生一度きりの貴重《きちょう》な初恋《はつこい》が待っている。恋《こい》に落ちたばかりの人も、その渦中《かちゅう》にいる人も、これからの人も、その部屋をこっそりのぞき見してみよう。

そして、この本を閉《と》じた時、やっぱりきみも言うのだろうか。

「あー、甘酸《あまず》っぱかった！」って。

contents もくじ

●執筆担当

麻沢奏（p.2～3、24～28、67～75、89～95、111～120、161～175）
ココロ直（p.8～15、47～53、76～88、131～141、176～182）
このはなさくら（p.16～23、35～46、96～110、150～160）
櫻いいよ（p.29～34、54～66、121～130、142～149、183～191）

♥ episode - 01

時を超《こ》えた恋心《こいごころ》

中学一年生のハルトは、とある田舎《いなか》にある古い神社の境内《けいだい》に座《すわ》りこんでいた。

ここは昔から『おねがい神社』と呼《よ》ばれているところらしい。他《ほか》に人のいない静かな場所だ。

手を合わせてみたのは、ほんの気まぐれからだった。

「だれかと仲良くなれますように」

すると、ハルトは一瞬《いっしゅん》にして気を失ってしまった。

次に目が覚めると、土がむき出しになった知らない道の上に倒《たお》れていたのだ。

「あれ？　どこだ、ここ……」

周囲《しゅうい》には見渡《みわた》す限《かぎ》りの青々《あおあお》とした田んぼ。遠くのほうに、山並《やまな》みと、家らしきものがいくつか見える。遠目にもわかるほどの古くさい家だ。かやぶき屋根というのだろうか。まるで、歴史《れきし》の教科書で見た大昔の家のようだ。

「あの！　すいません！」

ハルトは、ちょうど歩いてきた女の子に声をかけた。自分より少し年下に見える、髪《かみ》を頭の上でお団子《だんご》にまとめた、やはりずいぶんと古くさい服――生地《きじ》がうすくて裾《すそ》の短い着物を着た子だ。あやしまれるかと思ったが、他《ほか》に人は見当たらないからしかたない。

「ここは、どこですか？」

女の子はひどくおどろいた顔で答えた。

「ここは、山森村《やまもりむら》だべ。お兄さん、ハイカラな服着てるだな。どこから来ただ？」

たしかにハルトがいた村と同じ名前だが、知っている景色《けしき》とずいぶんちがう。遠くにある家の外観と、女の子の服装《ふくそう》から、とんでもない想像《そうぞう》がよぎった。

「あの、変なこと聞くけど……今って、何年？」

女の子の答えは、ある意味では予想通りの、しかし信じられないものだった。

「バカにしねえでけろ。それくらい、おらだって知ってるだよ。去年から元号が『昭和』になったんだべ？」

「去年から……昭和……。じゃあ、まさかオレは……タイムスリップしたのか？」

はじめはかなり混乱《こんらん》したが、様子のおかしさに気づいた女の子からなだめられているうちに、落ち着いてきた。どうやら本当に昭和二年へと時を超《こ》えてきてしまったらしい。

「そうかぁ。都会から来て、迷子《まいご》になっちまっただかぁ。おらの名前は、カヤっていうんだ。よろしくな、はるさん」

カヤと名乗ったその女の子には、適当《てきとう》にごまかして説明した。

「とにかく、なんとかして元の時代に帰らないと……。だいたい、どうしてオレはこんなことになったんだ？　……そうか！　神社だ！」

あの神社でお願いしたらこんなことになったのだから、今度は『帰りたい』とお願いすれば帰れるはず。そう思って、ハルトはカヤに尋《たず》ねた。

「なあ、カヤ！『おねがい神社』ってどこにある？」

「それって、山の中にある神社だべ？　あそこは去年の大雨で土砂崩《どしゃくず》れにあって道がふさがってるから、今は行けねえだよ」

「そんな！　なんとかして行く方法はないの？」

「山の裏道《うらみち》からなら行けるけんど、あそこは危《あぶ》ねえべ。ケガしちまうだよ」

「いや、どうしても行かなきゃならないんだ。道を教えてくれないか！」

「う～ん……だったら、おらも一緒《いっしょ》に行くだよ。案内するだ」

「本当？　ありがとう！　カヤ！」

ハルトはつい興奮《こうふん》してカヤの肩《かた》をつかんでしまった。カヤの頬《ほお》が赤くなる。

「や、やめてけろ……。と、都会の人は大胆《だいたん》だなや……」

山道を登ってみると、たしかにきつかった。細い獣道《けものみち》で、石や草に何度も足を取られる。時には四《よ》つん這《ば》いになりながら、滑《すべ》らないように慎重《しんちょう》に歩いた。

カヤのほうはさすがに山に慣《な》れているのか、すいすいと歩いていた。時々《ときどき》照れくさそうにハルトの手を引いて、助けてくれる。笑顔《えがお》がかわいらしくて、見ていると安心する。きっと、あの神社が「だれかと仲良くなれますように」という願いを叶《かな》えてくれたのだろう、とハルトは思った。

実はハルトは、両親が海外へ出張《しゅっちょう》することになり、山森村《やまもりむら》にある祖父母《そふぼ》の家でしばらく暮《く》らすことになって引《ひ》っ越《こ》してきたばかりだった。新しい学校へは明日から通う予定だったが、そこで友だちができるか、心配だったのだ。

「ほら、はるさん、こっち……キャッ！　……あいたたた」

ハルトの手を取ろうと体をひねったカヤが、濡《ぬ》れた草に足を滑《すべ》らせた。岩で膝《ひざ》をひどくすりむいたようで、着物が破《やぶ》れて血がにじんでいる。

「大丈夫《だいじょうぶ》か？　オレにつき合わせたせいで……ごめんな。ちょっと、そこに座《すわ》って」

ハルトはカヤを岩の上に座《すわ》らせ、自分の持っていたハンカチを膝《ひざ》に巻《ま》いてやった。カヤはうれしそうに、何度もそのハンカチをなでている。

「きれいな手ぬぐいだべなぁ。すべすべしてるだよ」

その隣《となり》に、ハルトも腰《こし》を下ろした。それと同時に、ぐう、とおなかが鳴った。そういえば朝から何も食べていない。

「はるさん、これ、よかったら一緒《いっしょ》に食べねえだか？」

カヤは、自分のお昼ごはんだと言って、背負《せお》っていた風呂敷《ふろしき》から大きなサツマイモを取り出した。すでにふかしてあるようだ。はじめは遠慮《えんりょ》したハルトも空腹《くうふく》には勝てず、半分だけもらった。カヤは大きく割《わ》れたほうをハルトにくれた。

「カヤは……いい子だよな」

「そ、そんなことないだよ！　と、都会の人は本当に大胆《だいたん》なことを言うだな！」

顔を真っ赤にするカヤに、ハルトはさびしそうに笑う。

「オレ、友だちをつくるのがあんまりうまくないんだ。だから新しい学校に行くのが、すごく不安でさ……。カヤみたいな子と仲良くなれたらうれしいんだけどね」

カヤは、巻《ま》いてもらったハンカチを見せつけるようにして、目を丸くして訴《うった》えた。

「はるさんは優《やさ》しいんだから、友だちなんてすぐにできるべ！　はるさんのいいところ、きっとすぐ相手に伝わるだよ！　それに……お、おらだっているべ？」

「そうだね……。ありがとう」

カヤだけでなく、ハルトの顔も赤くなっていた。

再《ふたた》び山道を歩き、神社に着いたのは、すっかり日が暮《く》れてからだった。あの時の神社よりもかなり新しく見えるが、同じつくりだ。

ハルトは、境内《けいだい》で手を合わせた。

「元の時代に帰れますように」

隣《となり》ではカヤも手を合わせてお願いごとをしている。

「はるさんと――」

その内容《ないよう》は、最後まで聞くことができなかった。気を失って、元いた境内《けいだい》で目を覚ましたのだ。古くなった神社を見て、周囲《しゅうい》にカヤがいないことがわかると、ハルトはさびしそうに「夢《ゆめ》だったのかな……」とつぶやいた。

翌日《よくじつ》の朝、転校先の職員室《しょくいんしつ》で、担任《たんにん》だという男の先生が笑いながら言った。

「まさかこんな時期に転入生がふたり同時に来るなんてなあ」

紹介《しょうかい》された『もうひとりの転入生』を見て、ハルトはおどろいた。服装《ふくそう》と髪型《かみがた》こそちがうが、その顔はどう見ても……。

「ええと、陽斗《はると》くんに、伽耶《かや》さんだな。せっかくだから仲良くやってくれよ」

相手もひどくおどろいた様子だったが、やがて事態《じたい》を飲みこんだのだろう。見覚えのある照れくさそうな、でもうれしそうな笑顔《えがお》になった。

「ねえ、生まれ変わりって信じる？」

「まさか……じゃあ、きみがお願いしたことって……」

泣きそうになるハルトの前で、彼女《かのじょ》は小さく神社に手を合わせるしぐさをした。

「はるさんと、これからもずっと一緒《いっしょ》にいられますように」

♥ episode - 02

ハートのたまご

予鈴《よれい》が鳴る前にトイレに行っておこうと廊下《ろうか》を歩いている時、正面から陽太《ようた》がひとりで歩いてくるのが見えた。

めずらしく難《むずか》しい顔をしていたのが少し気にかかった。何か厄介《やっかい》なことでもあったのかな。もしそうなら、力になってあげたいけれど。なんて声をかけようか……あっ。

彼《かれ》のポケットからヒラッと白いものが落ちた。

「陽太《ようた》、落としたよ！」

思わず駆《か》け寄《よ》って、それを拾う。わたしの時間が一瞬《いっしゅん》、止まったような気がした。その落とし物は、おしゃれなレース柄《がら》の、かわいらしい封筒《ふうとう》だったのだ。

陽太《ようた》は振《ふ》り返《かえ》ると、わたしの手から封筒《ふうとう》を奪《うば》い取《と》った。

「さっ、サンキュー！　じゃあな、ひかり！」

封筒《ふうとう》について何も触《ふ》れず、そそくさと去っていく。

わたしは何も言えず、ただ、陽太《ようた》の背中《せなか》を見送った。

まちがいなく、あの手紙はラブレターだ。

陽太《ようた》、だれかにラブレターをもらったんだ……！


あのラブレター、だれにもらったんだろう。もう返事したのかな。

調理実習の最中も陽太《ようた》のことを考えてしまい、妙《みょう》に心が落ち着かなかった。

わたしたちは家が隣同士《となりどうし》の幼《おさな》なじみだ。小さいころから、きょうだいのように育ってきたから、陽太《ようた》のことなら、なんでも知っていると思っていた。

でも、実際《じっさい》はそうじゃなかったんだ。ラブレターをもらったことも話してくれないなんて、なんかさびしい。置いてけぼりにされたみたい……。

ため息を落としつつ卵《たまご》をボウルに割《わ》って、「あれ？」と目が点になった。黄身がハートの形だったのだ。

わあっ、めずらしい！　同じ班《はん》の子たちに、ボウルの中身を見せて報告《ほうこく》する。

「ねえ、見て見て！　卵《たまご》の黄身がハートの形になってるよ！　ビックリだね！」

けれども、みんなはきょとんとして、わたしを不思議《ふしぎ》そうに見つめ返す。

「そう？　普通《ふつう》の丸い黄身に見えるけど……」

「ええっ⁉」

わたしはもう一度ボウルの中を確《たし》かめた。やっぱり黄身の形はハートだ。

「おかしいなあ、わたしはハートに見えるよ。どうしてみんなには見えないの？」

「ひかりが恋《こい》してるからじゃない？　その人に運命の相手がいると、身近なものがハートに見えるって、聞いたことがあるよ！」

わたしは笑い飛ばした。

「まさかあ。そんな話、聞いたことないよ。運命の赤い糸じゃないんだから〜」

だいたい恋《こい》なんてしてないしね。その噂《うわさ》はきっと大ハズレだ。

学校がお休みの土曜日。

遅《おそ》い朝食で、目玉焼きをつくろうとフライパンに卵《たまご》を割《わ》ってみたら、また黄身がハートの形をしていた。おどろいて、もうひとつ割《わ》ってみると、またまたハートだ。

いったいどうなっているの？

ためすうちに一パックぜんぶの卵《たまご》を目玉焼きにしてしまった。

「こんなにたくさんつくってどうするつもり？」

テーブルの上にずらっと並《なら》んだ目玉焼きを前に、お母さんは呆《あき》れ顔《がお》だ。

「だって黄身がハートなんだもん」

「ハート？　わけのわかんないことを言ってないで、自分でなんとかしなさいよ」

黄身がハートの形に見えるのは、やっぱりわたしだけらしい。どうしてだろう。

ピンポーン。

「ちわー！　回覧板《かいらんばん》でーす」

インターフォンの音より大きな陽太《ようた》の声が玄関《げんかん》から聞こえてきた。あっ、ちょうどい い。陽太《ようた》に目玉焼きを食べるのを手伝《てつだ》ってもらおうっと。エプロン姿《すがた》のままで玄関《げんかん》のドアを開ける。

「なんだ、ひかりもいたのか」

なぜだか陽太《ようた》は気まずそうな表情《ひょうじょう》を浮《う》かべた。

「当たり前でしょ。ここ、わたしのうちだもん」

「あのさ、おまえ勘違《かんちが》いしてるかもしれないから、ついでに言っときたいことがあるんだけど……」

「ん？　なんのこと？」

「あの手紙のことだよ」

「あー、あれ？」

今初めて思い出したフリをした。

「あれ、部活仲間に渡《わた》してくれって頼《たの》まれただけだからな」

なんだ、そうだったのか。陽太宛《ようたあ》てじゃなかったんだ。

とたんに気分が明るくなってきた。

「ふうん、そうなんだ。ねっ、それより目玉焼きつくりすぎちゃったの。お願い、助けて！」

「目玉焼き？　なんでまたー？　しょうがねーな！」

文句《もんく》を言いながらも、陽太《ようた》はまんざらでもない様子だ。わたしとキッチンへ行くと、

「わっ、なんだこれ！　こんなにつくったのか？」

陽太《ようた》は並《なら》んだ目玉焼きを見て大きな声を出した。

「実は深いわけがありまして……」

「どんなわけがあるのか知らないけど、食べればいいんだな。しっかし、どうやってつくったんだ？　黄身がハートの目玉焼き」

「ええっ！　陽太《ようた》、ハートに見えてるの？」

「どう見てもハートだろ、これ。そういうおまえは？　見えてるだろ？」

「わ、わたし？　わたしは、えっと……」

じゃあ、わたしの運命の相手は陽太《ようた》……？

ピンポーンと再《ふたた》びインターフォンの音が鳴ったあと、ひとりの少年がわたしたちの前に現《あらわ》れた。陽太《ようた》の双子《ふたご》の弟、春馬《はるま》だ。

「陽太《ようた》、母さんが早く帰ってこいだって。あ、ハートの目玉焼き？　へえー、ひかりがつくったんだ？　うまそうだな」

ええっ、春馬《はるま》まで⁉

わたしはポカンと口を開けて、ふたりの顔を見比《みくら》べる。

「「どうした、ひかり？」」

ふたりの声が仲良くハモった。

教訓：運命の相手がひとりとは限《かぎ》らない。

♥ episode - 03

きみは、苦い思い出

まさか、秀也《ひでや》くんが同じ高校だとは思わなかった。

秀也《ひでや》くんというのは、小学二年生から五年生まで、お母さんとふたり暮《ぐ》らしをしていたアパートの隣《となり》に住んでいた、ひとつ上の男の子だ。近くの公園で遊んでくれたり、鍵《かぎ》を忘《わす》れた時には、お母さんが帰ってくるまで一緒《いっしょ》にアパートの階段《かいだん》で待ってくれたりと、とても優《やさ》しいお兄ちゃんのような存在《そんざい》だった。そして、私《わたし》の初恋《はつこい》の相手でもあった。

五年生の時、引《ひ》っ越《こ》す前日に、秀也《ひでや》くんちの郵便《ゆうびん》受《う》けに入れた手紙。

『秀也《ひでや》くんのことが大好きでした。また一緒《いっしょ》に遊びたいです』

だけど引《ひ》っ越《こ》し当日、秀也《ひでや》くんは見送りにも出てこなかったし、手紙の返事もくれなかった。フラれたんだな、迷惑《めいわく》だったんだな、と思って、車の中で声を殺《ころ》して泣いたことを覚えている。今でも、思い出すと胸《むね》の奥《おく》がツンと痛《いた》くなる。

その秀也《ひでや》くんが、この春入ったばかりの高校の、同じバスケ部の先輩《せんぱい》の中にいたのだ。背《せ》が一八〇センチくらいになっていて、顔も大人《おとな》っぽくなっていて、二年のエースとしてめちゃくちゃ活躍《かつやく》している。

新入部員として自己紹介《じこしょうかい》をしたけれど、昔のベリーショートの髪《かみ》がロングストレートになっていたからか、もしくはお母さんが再婚《さいこん》して苗字《みょうじ》が変わったからか、秀也《ひでや》くんは私《わたし》にまったく気づいていないようだ。

気づいてもらえないのが悔《くや》しいような、でもフラれたんだから気づかれないままのほうがいいような、なんとも複雑《ふくざつ》な心境《しんきょう》だ。五年も前のことだし、今さらなんだけど。

「えっ！　秀也《ひでや》、おまえ、ラブレターもらったことあるのかよ？」「マジかよ、ずりー」

そんな声が男子の部室から聞こえてきたのは、入部から半月後。ドアを隔《へだ》てた数人の会話の中に「小学校のころだけどな」という秀也《ひでや》くんの声が聞こえ、私《わたし》は足を止めた。

「隣《となり》に住んでた女の子から。あー……でも、苦い思い出だな」

続けて聞こえたその声に、私《わたし》は持っていたコールドスプレーの缶《かん》を落としてしまった。あわてて拾っている間に、秀也《ひでや》くんが部室のドアを開けてこちらをのぞきこんできた。ばっちりと目が合ってしまい、あせった私《わたし》は渡《わた》り廊下《ろうか》のほうへ急ぐ。

「ねぇ、もしかしてだけど、昔、うちの隣《となり》に住んでた？」

早歩きを早歩きで追いかけてくる秀也《ひでや》くん。足の長さがちがうから、すぐに追いつかれて隣《となり》に並《なら》ばれてしまう。

「苗字《みょうじ》がちがうしなーと思ってたけど、やっぱり合ってる？　あの菜々美《ななみ》？」

「知らない」

「ハハ。そうやって、口をへの字に曲げて〝知らない〟って言うの、やっぱ菜々美《ななみ》じゃん。声も口癖《くちぐせ》も全然変わってないし」

飄々《ひょうひょう》とそんなことを言って笑っている秀也《ひでや》くんに、だんだん腹《はら》が立ってくる。

「苦い思い出の相手とは、話したくないでしょ？」

「あぁ、あれは、たしかに苦い思い出だな」

そう言われて、なんだか泣きたい気持ちになった。私《わたし》にとって切ないできごとではあったけれど、秀也《ひでや》くんと一緒《いっしょ》に過《す》ごしたあの日々《ひび》は、今でもキラキラしていて大事な思い出だったからだ。本人に苦い思い出だと言われたら、あんなラブレターなんか書かなければよかった、と後悔《こうかい》の気持ちが一層《いっそう》深まる。

「菜々美《ななみ》の引《ひ》っ越《こ》しが悲しかったし、涙《なみだ》と鼻水でみっともない姿《すがた》を見せたくなかったから、最後に顔を見てお別れできなかったこと。郵便《ゆうびん》受《う》けの手紙に気づいたのが、引《ひ》っ越《こ》しの次の日だったこと。後悔《こうかい》ばっかりの苦い思い出だよ」

……え？　そうだったの？　全然知らなかった……。自分だけが秀也《ひでや》くんとの別れがつらいんだとばかり思いこんでいた私《わたし》は、立ち止まる。

「じゃあ……あの手紙は、迷惑《めいわく》じゃなかった？」

「うれしかったよ。まだ、部屋の机《つくえ》の中にあるし、俺《おれ》も返事を書いてたんだ。新しい環《かん》境《きょう》でがんばっている菜々美《ななみ》のじゃまをしたくなくて、出せずにいたけど」

「返事……なんて書いたの？」

「それ聞く？」と言った秀也《ひでや》くんは、鼻頭をかいて口を開く。

「俺《おれ》も好きだ、って書いた」

目を丸くした私《わたし》は、じんわりと胸《むね》があたたかくなるのを感じた。あの日、車の中で泣いていた自分が報《むく》われた気分だ。こみ上げてくるうれしさに、頬《ほお》がゆるむ。

「そっか、五年前の私《わたし》が聞いたら、泣いて喜《よろこ》ぶよ」

照《て》れ隠《かく》しで笑ってそう言うと、秀也《ひでや》くんが、

「今は？」

と聞いてきた。目と目が合って、沈黙《ちんもく》が流れる。「え？」の形に口を開けている私《わたし》が、秀也《ひでや》くんの瞳《ひとみ》に映《うつ》っていた。

「過去《かこ》の話で終わらせる？」

イタズラっぽい笑《え》みを浮《う》かべ、顔をのぞきこんできた秀也《ひでや》くん。途切《とぎ》れた初恋《はつこい》の続きは、これからいったいどんな思い出になっていくのだろう。

♥episode - 04

初恋談義《はつこいだんぎ》

「初恋《はつこい》というものに興味《きょうみ》があるのだけれど、会津《あいづ》さん、恋《こい》って何か知ってる？」

放課後の教室で、クラス委員長の乾《いぬい》くんが真剣《しんけん》な顔で私《わたし》に尋《たず》ねてきた。

「今日の議題もなかなかだね……」

はあっとため息を漏《も》らして頬《ほお》づえをつく。

高校一年で乾《いぬい》くんとクラス委員になってから、半年以上がたった。

乾《いぬい》くんはなかなかのイケメンだ。切れ長の涼《すず》しげな目元ときれいな鼻筋《はなすじ》。毛先だけが少しくるんとクセのついている黒髪《くろかみ》がなんだかかわいい。がっしりとした体つきなのに背《せ》が高いからか細身に見えて、それが大人《おとな》っぽさを感じさせる。

彼《かれ》はまちがいなく、かっこいいと思う。

――ただし、黙《だま》っていれば。

乾《いぬい》くんは根っからの〝委員長〟タイプだ。真面目《まじめ》で、頑固《がんこ》で、誠実《せいじつ》で、細かくて、口うるさくて、融通《ゆうずう》が利《き》かない。クラス委員長になったのも『細かなことが気になってしまうので、人に任《まか》せるより自分でやりたい』と立候補《りっこうほ》をしたからだ。

そして、出席番号順で座《すわ》っていた時にたまたま隣《となり》の席だった私《わたし》は、偶然《ぐうぜん》彼《かれ》と目を合わせてしまい、『副委員長に指名してもいいか？』と押《お》しつけられた。

クラス委員に興味《きょうみ》はなかったが、今まで経験《けいけん》がないのでまあ一度くらいは、と引き受けた。だけど、まさかちょくちょく放課後に居残《いのこ》りを命じられ、意味のわからない話をすることになるとは思ってもいなかった。

先週の議題は〝なぜ人はアヒル口をかわいいと思うのか〟だった。

その前の週は〝ポン酢《ず》はなぜあんなに種類が必要なのか〟だった。

いつか忘《わす》れたけれど〝会津《あいづ》さんは今のショートが似合《にあ》っているが、セミロングにしたいと思うことはないのか〟と言っていたこともある。放っておいてほしい。

クラス委員の仕事とはなんなのか。いや、ちゃんと必要な仕事は乾《いぬい》くんが完璧《かんぺき》にこなしてくれているのだけれど。

「なんでまた急に恋《こい》がしたいと思ったの」

とりあえず話につき合わなければ帰れない。

「恋人《こいびと》が欲《ほ》しい」

「なるほど。わかりやすい」

口を開かなければすぐに恋人《こいびと》ができるだろう。ただ、すでに女子の間で『話が面倒《めんどう》くさいから長時間一緒《いっしょ》にいるのは無理』というのが乾《いぬい》くんに対しての共通認識《きょうつうにんしき》だ。

「でも、それにはまず、僕《ぼく》が相手を好きにならないとだめだろ？　でも、僕《ぼく》は恋《こい》がわからない。それはきっと恋《こい》をしたことがないからだと思うんだ」

「んー……。そんなに難《むずか》しく考えなくてもいいんじゃない？　本能《ほんのう》みたいなもので、だれかを好きになったらすぐにわかると思うよ」

だいたい、恋心《こいごころ》なんて人それぞれちがうものだと思う。考えたって答えなんかきっと出てこないだろう。でも、乾《いぬい》くんがだれかを好きになったらどうなるのかは気になる。

「会津《あいづ》さんはもうすでに初恋《はつこい》を済《す》ませているんだな。恋《こい》をしたって、その時すぐにわかったのか？　どんな感じだった？」

ぐいっと身を乗り出して乾《いぬい》くんが私《わたし》に顔を近づけた。彼《かれ》はいつも距離《きょり》が近い。

「ど、どうって……まあ、なんとなくじっと相手を見ちゃうとか？」

「へえ。他《ほか》には？」

「あとは……どうにかして接点《せってん》を持ちたくなるとか、どんな内容《ないよう》でも相手と話をするのが楽しいとか。他《ほか》の人なら嫌《いや》なのに、その人なら許《ゆる》せちゃう、みたいな」

「見た目とかは関係ない？」

「まあ、目とかスタイルとか髪型《かみがた》とか、なんとなくいいなって思ったりはするかな」

ほおおお、と乾《いぬい》くんが口を開けて体を元の位置に戻《もど》した。そしてあごに手を当てて考えこむ。私《わたし》の話をそんな真剣《しんけん》に受け止められるとちょっとはずかしいのだけれど。

なんだか落ち着かない気持ちになって窓《まど》の外に視線《しせん》を向けると、真っ赤な夕日が空を照らしていた。きれいな夕焼けに見とれていると、「もしかして……！」と乾《いぬい》くんが何かに気づいたような声を出す。

「僕《ぼく》は会津《あいづ》さんが好きなのかもしれない」

「――は？」

「会津《あいづ》さんが言っていたことは、ぜんぶ僕《ぼく》が会津《あいづ》さんに思うことと同じだから」

そうか、と乾《いぬい》くんはスッキリした様子で目を細めた。もともと細い彼《かれ》の目は、笑うと線みたいに細くなり、まるで狐《きつね》のようでかわいくなる。

乾《いぬい》くんが、私《わたし》を好き？　何を言っているんだ。

「……乾《いぬい》くんのは、私《わたし》のとはちがうと思う」

頭を左右に振《ふ》って立ち上がり、「トイレ」と言って彼《かれ》に背《せ》を向けた。乾《いぬい》くんは「えー」と言って再《ふたた》び考えこみ「まちがいなく一緒《いっしょ》なのに」「これは恋《こい》なんじゃないのか？」「好きだと思うんだけどなあ」とブツブツひとりでしゃべっている。

彼《かれ》を教室に残し、廊下《ろうか》に出てドアを閉《し》める。

そして。

——あっぶなかったああああああ！

ぶわあっと顔が一気に赤くなるのが自分でわかった。同時に心臓《しんぞう》がバクバクと早鐘《はやがね》を打ちはじめ、口から何かが出てきそうになる。おどろきで目がぐるぐるまわる。

なんなの、天然にもほどがあるのでは。いきなり好きとか何言い出すんだ。

あやうく彼《かれ》の目の前で赤面して取《と》り乱《みだ》してしまうところだった。

「私《わたし》の気持ちも知らないで、ほんともう……」

両手で顔を覆《おお》い、小さな声でつぶやく。

彼《かれ》に惹《ひ》かれていなければ、副委員長なんか引き受けているわけがない。

彼《かれ》が好きでなければ、意味不明な放課後談義《ほうかごだんぎ》に何度もつき合うはずがないし、そのどうでもいい会話を楽しいと思うこともない。むしろその時間を喜《よろこ》んでいるのだから、自分でも不思議《ふしぎ》だ。

本当に、恋《こい》というのはよくわからない！

♥ episode - 05

相合《あいあ》い傘《がさ》の下で

本屋さんのレジに並《なら》んでいる時、絵本を買っている男の人を見かけた。シュッと背《せ》が高く細身で、メガネがよく似合《にあ》うすてきな人だった。

「リボンの色は、えーと、そうだなあ……うん、金色でお願いします」

だれかへのプレゼントかな。たとえば、弟か妹か、親せきの子どもとか。

そういうのっていいね。きっと、いいお兄ちゃんなんだろうな。

「ありがとうございましたー」

彼《かれ》のほうが先に会計を済《す》ませ、店を出ていく。わたしもその少しあとに出ていって、ふっと足が止まった。絹糸《きぬいと》のように細い雨が降《ふ》っていたからだった。

さっきの男の人が困《こま》ったような顔で、灰色《はいいろ》の雨雲とにらめっこしている。

あの人、傘《かさ》を持ってないんだ。

わたしはちょうど傘《かさ》を持っている。

おせっかいになるかもと迷《まよ》ったけれど、思いきって声をかけてみることにした。

「あのう、もしよかったら、わたしの傘《かさ》をどうぞ。使ってください」

「えっ、いいの？」

彼《かれ》はおどろいて、メガネの奥《おく》の瞳《ひとみ》をパッチリと見開いた。

「これ、ビニール傘《がさ》だし。お母さんに車で迎《むか》えにきてもらうこともできるんで……」

「ありがとう」

彼《かれ》は笑った。雨にも負けない、さわやかな笑顔《えがお》だった。

「でも気持ちだけでいいよ」

今度は、わたしがおどろいた。

「本当にいいんですか？　それ、だれか大切な人へのプレゼントでしょ？　濡《ぬ》れたら、せっかくのラッピングが台無しになっちゃいます」

すると、彼《かれ》はプレゼントを見ながら「うーん」と考えこんだ。

「じゃあ……。そこのバス乗り場まででいいから入れてくれるかな？」

「もちろん、喜《よろこ》んで！」

わたしの返事に、彼《かれ》はホッとしたように息をついた。

「あ、おれが持つよ。こういうのは背《せ》が高いほうがやらないとな」

彼《かれ》はわたしから傘《かさ》を受け取り、パッと開いた。そして、

「さあ、どうぞ。お嬢《じょう》さん？」

わたしを傘《かさ》の下へと招《まね》いたのだった。

お、お嬢《じょう》さんだって……！

ポッと頬《ほお》が熱くなった。

そういえば、男の人と相合《あいあ》い傘《がさ》なんて初めてだ……。

突然《とつぜん》そのことに気づき、胸《むね》がドキドキしてきた。

コクンとうなずき、おずおずと傘《かさ》の下に入る。

わたしたちは雨の中をバス停《てい》に向かって歩き出した。

「きみ、中学生？」

「南中《みなみ》の一年です。大木真琴《おおきまこと》っていいます」

「南中《みなみ》？　じゃあ、おれの後輩《こうはい》ってわけか」

「そうなんですか⁉」

「うん、三月に卒業したばかりだよ。今は西高《にし》の一年生。飯田将生《いいだまさき》、よろしく」

「よっ、よろしく、お願いします……」

でも、バス停《てい》にはすぐ着いてしまった。

なんとなく照れくさい気分で視線《しせん》を動かすと、飯田《いいだ》さんの左の肩《かた》が雨で濡《ぬ》れていた。

もしかして、わたしが濡《ぬ》れないように……？

雨からかばったのはプレゼントだけじゃなかったんだ。

胸《むね》がキュンとときめいた。

「ありがとう、真琴《まこと》ちゃん。助かったよ」

真琴《まこと》ちゃん⁉

やわらかな羽でくすぐられたみたい。

けど、もうお別れだ。二度と会えないかもしれないと思うと、勝手に口が動いた。

「あの、そこの本屋、いつも行くんですか？」

「本を買う時は、たいていね」

「じゃ、じゃあ、また会えますよね……？」

「うん、きっと会えるよ。またね、真琴《まこと》ちゃん」

彼《かれ》はニコッと優《やさ》しく笑った。

好きな人ができてしまった。

学校で友だちに報告《ほうこく》すると、みんなにひどくおどろかれた。

「運命の恋《こい》かもしれない……」

目を閉《と》じたら、飯田《いいだ》さんの笑顔《えがお》がまぶたの裏《うら》に浮《う》かんだ。ムフフ、すてき！

「バッカじゃねー？」

呼《よ》んでもいないのに、同じクラスの男子・菊池《きくち》くんが話に割《わ》りこんでくる。

「高校生が中学生を相手にするわけないじゃん」

って言われて、わたしはムッとした。

「そんなことないもん！　飯田《いいだ》さん、とっても優《やさ》しくしてくれたよ」

「何が優《やさ》しいだ。雨なんか濡《ぬ》れていけばいいだろ。軟弱《なんじゃく》なやつー」

「だから、それには理由があったんだってば〜！」

いつものケンカがはじまりかけた時、

「あれ？　その飯田《いいだ》さんって、三つ上の学年の飯田《いいだ》さん？」

友だちのひとりが思い出すように言った。

「うちのお姉《ねえ》から聞いたことあるんだ。テストがいつもいちばんで、サッカー部のエースで、生徒会長だった人の名前が、たしか飯田《いいだ》くんって」

ポカンと開いた口が開きっぱなしだった。

飯田《いいだ》さんって、そんなすごい人だったんだ……！

「えーっ、文武両道《ぶんぶりょうどう》なんてかっこいい！」

みんなでワイワイ盛《も》り上《あ》がる。

その結果、なんと！　飯田《いいだ》さんが通う高校に行ってみることになったんだ。


「怒《おこ》られたらどうしよう」

「外からのぞくだけだから平気だよ」

「そうそう、学校見学に来ましたって言えばいいって」

通学路から外れた道を、みんなそろってゾロゾロ歩いていく。

飯田《いいだ》さんに会えるかと思うとうれしかった。けど、ひとつだけ気に入らないことがあった。それは――。

「なんで菊池《きくち》くんまでいるの？」

そう！　ケンカ相手の菊池《きくち》くんもついてきちゃったんだ。

「西《にし》高ってサッカーの強豪校《きょうごうこう》だろ？　進学先の候補《こうほ》として見学したかったんだよね」

「ついてきてもいいけど、飯田《いいだ》さんに失礼な態度《たいど》をとらないでね。わかった？」

「へいへい」

と、不真面目《ふまじめ》な返事。

もう！　本当にわかっているのかなあ。

そうこうしているうちに、飯田《いいだ》さんの高校に到着《とうちゃく》した。

校門から出てくる高校生たちにじろじろ見られている。

目立ってしょうがないので、高校の向かい側にある公園の駐車場《ちゅうしゃじょう》へと移動《いどう》した。そこからもう一度、校門のあたりを見張《みは》る。

「真琴《まこと》ちゃん、飯田《いいだ》さんいそう？」

「ううん、まだ出てきてない、と思う……」

しばらくしてポツポツ雨が降《ふ》ってきた。みんなは持っていた傘《かさ》を開く。

すると、菊池《きくち》くんがわたしの隣《となり》にツツッとやってきた。

「大木《おおき》、入れて！　傘《かさ》持ってこなかったんだよね」

相合《あいあ》い傘《がさ》の相手は、飯田《いいだ》さんだけって決めていたのに。

けど、飯田《いいだ》さんは優《やさ》しい女の子が好きだろうな。

「しょうがないなあ、感謝《かんしゃ》してよね」と、菊池《きくち》くんを入れてあげた、ちょうどその時。

校門から彼《かれ》が姿《すがた》を現《あらわ》した。

「あっ、飯田《いいだ》さん！」

うれしくて駆《か》け出《だ》しそうになった。わたしね、飯田《いいだ》さんに会いにきたんだよ。最初にかける言葉を頭の中で用意した。

でも、髪《かみ》の長いひとりの女の子が「将生《まさき》！」と雨の中を走ってやってきて、飯田《いいだ》さんの傘《かさ》の下に入っていったんだ。

飯田《いいだ》さん、その人はだれ……？

「真琴《まこと》ちゃん、あの人？」

友だちが気《き》の毒《どく》そうに声をかけてきた。

「う、うん……」

うなずきながら、気づいた。その女の子が持っていたトートバッグから、金色のリボンでラッピングされた、あのプレゼントがはみ出していたことに。

……そっか。飯田《いいだ》さんの相合《あいあ》い傘《がさ》は、あの人のものなんだ……。

「見にいこうなんて、悪いことしちゃったね……」

「ゴメンね、真琴《まこと》ちゃん」

「えー、だいじょうぶだって。ちょっといいなって思っただけだから。雨がひどくなってこないうちに帰ろ！」

自分と同じようにションボリしている友だちに、わたしは元気に笑った。

友だちと別れ、菊池《きくち》くんとふたりになった。

雨はまだ降《ふ》り続《つづ》いていたので、相合《あいあ》い傘《がさ》で歩いた。

「雨、よく降《ふ》るなあ。ちょっと雨宿りしていこうぜ」

菊池《きくち》くんがそう言ったので、すぐそこの歩道橋の階段下《かいだんした》に避難《ひなん》した。

傘《かさ》を下ろしてふと見ると、菊池《きくち》くんの左肩《ひだりかた》が濡《ぬ》れている。

飯田《いいだ》さんと同じだ。

わたしは菊池《きくち》くんをジッと見上げた。

「彼女《かのじょ》でもなんでもない子のために、どうして自分が濡《ぬ》れても平気なの？」

「なんだよ、それ。いきなり」

「だって、その肩《かた》……飯田《いいだ》さんと同じことをしてるから……」

「たいした意味ないって。ぶっちゃけ格好《かっこう》つけたいだけ」

「それだけ？」

わたしは、きょとんとした。

「そんなに格好《かっこう》つけたいの？　自分が濡《ぬ》れてまで？」

菊池《きくち》くんは無言になった。それから思いきるように言う。

「ああ、格好《かっこう》つけたいよ。少なくとも、おまえの前ではな」

飯田《いいだ》さんと張《は》り合《あ》っているみたい。それがおかしくて、失恋《しつれん》したばかりなのに笑えてきちゃった。「ヘンなの！」と吹《ふ》き出《だ》す。

「おっ、おまえ、笑うなよ！　これでも真剣《しんけん》に答えてやったんだからな！」

「ごっ、ゴメン！　ありがとう、菊池《きくち》くん」

怒《おこ》られてもクスクス笑った。

「……バーカ。泣くか笑うかどっちかにしろよ」

またいじわるなことを言われた。

笑っていたはずなのに、いつの間にか目から涙《なみだ》がこぼれている。

「じゃ、泣く。笑わないでね」

「笑わねーよ。おれしかいないからだいじょうぶだ。思いっきり泣け。泣きやむまで一緒《いっしょ》にいてやる」

菊池《きくち》くんはわたしをまっすぐに見つめて答えた。

その顔はいつもより大人《おとな》びて見えた。

♥ episode - 06

謎《なぞ》のしおり

「あっ！　征也《せいや》くん、聞いて！　大事件《だいじけん》！」

ここは小学校の図書室。今は昼休み。本の返却《へんきゃく》を受けつけるカウンターで隣《となり》に座《すわ》ってきた同じ図書係の男子に、わたしは声をかけた。

「しーっ！　また司書の先生に怒《おこ》られるよ」

征也《せいや》くんは口の前に人差し指を立てて、ボリュームを落とした声で返してきた。

「香菜《かな》さんの『大事件《だいじけん》！』にはもう踊《おど》らされないよ。いつもたいしたことないんだから」

そう言って征也《せいや》くんは、呆《あき》れたような目を向ける。

征也《せいや》くんとはクラスはちがうけれど、昼休みや放課後に、図書係としてここで顔を合わせている。ふたりとも六年生で、好きな本も似《に》ているためか、それなりに仲はいい。

「今度こそホントのホントに大事件《だいじけん》なんだってば！　謎《なぞ》が謎《なぞ》を呼《よ》ぶミステリーだよ！」

「そんな、きみの好きな探偵小説《たんていしょうせつ》に出てくるような謎《なぞ》の事件《じけん》なんて、現実《げんじつ》にはそうそう起こらないってば」

「もう！　じゃあこれ見てよ！」

わたしは、手に持っていた本を開いて、そこに挟《はさ》まっていたものを突《つ》きつける。

「これ、何に見える？」

征也《せいや》くんは顔をしかめて、固《かた》まったようにしばらくそれを見てから答えた。

「何って……しおりに見えるけど……」

そう。これはなんの変哲《へんてつ》もない本のしおりだ。うすい水色の厚紙《あつがみ》に、平べったいひもがリボンのように結ばれている。ひょっとすると手づくりなのかもしれない。

「これ、この本に挟《はさ》まってたの！　でね、こっち側に、ほら！」

しおりを裏返《うらがえ》して見せると、気になったのか少しだけ征也《せいや》くんの目が開いた。

そこには『三波香菜《みなみかな》』と、わたしの名前が書かれていたのだ。

「それが何？　きみの持ち物ってことじゃないの？」

わたしは「ちがうの！」と首を振《ふ》る。

「この本、今日このあと借りていこうと思って、さっき取ってきたの！　今月に入ってきた新刊《しんかん》だよ！　まだ一度も読んだことないし、借りたことない！　そこに、わたしの名前が書かれた見たこともないしおりが挟《はさ》まってたの！」

「ふ〜ん……」

「これ、ひどいいたずらでしょ！」

「え、いたずら？　いや、でも……そうと決まったわけじゃないんじゃない？」

考えるように腕組《うでぐ》みをする征也《せいや》くんに、さっきのページを開いて見せた。

「じゃあ、ここ！　しおりが挟《はさ》まってたページを見てよ。物語のクライマックスのページなんだよ！　何か意味があるのかと思って読んじゃったから先に事件《じけん》のトリックがわかっちゃってさあ。もー許《ゆる》せない！」

探偵小説《たんていしょうせつ》で先にトリックをバラされることは、いちばんの楽しみを奪《うば》われるということとだ。こんなひどいことをする人がいるなんて、信じられない。

「わざわざわたしが好きな本を選んで、こんなことするなんて、わたしに対する挑戦《ちょうせん》だよ、これは！　ぜったいにこのいたずらの犯人《はんにん》を探《さが》してやるんだから！」

意気ごむわたしに、征也《せいや》くんはしばらく黙《だま》っていたが、やがてひょいっと本を取り上げて立ち上がった。

「じゃあこれ、もうネタバレしてるんだし借りなくてもいいよね？」

「あ、ちょっと！」

征也《せいや》くんは他《ほか》にも返却《へんきゃく》された本を数冊《すうさつ》抱《かか》えて、呼《よ》び止《と》めるわたしに背《せ》を向けた。

「いたずらとか挑戦《ちょうせん》とか、大げさだって。探偵小説《たんていしょうせつ》じゃあるまいし。どうせ自分で挟《はさ》んでいたものを忘《わす》れたか、うっかり落としたものをだれかが拾ってたまたまそこに挟《はさ》んだか、ってところだろ。僕《ぼく》は本棚《ほんだな》の整理してくるから、カウンター当番よろしく」

「そんなわけないってば！　ねえ、ちゃんと聞いてよ！　もう！」

素《そ》っ気《け》なく去っていく征也《せいや》くんの背中《せなか》に声をかけることはあきらめたけど、犯人探《はんにんさが》しをあきらめるつもりはない。気持ちは探偵小説《たんていしょうせつ》の主人公のようだった。

「犯人《はんにん》を見つけて、しおりの謎《なぞ》を解《と》き明《あ》かしてやるんだから！」


ところが、放課後になって、事件《じけん》はあっさりと解決《かいけつ》する。

やっぱり問題となった本を借りたくなって、でもしゃくにさわるから借りたくなくて、貸出受付《かしだしうけつけ》の機械の前で本を抱《かか》えたまま考えこんでうなっていると、気づいた司書の先生に「どうしたの？」と声をかけられたのだ。

わたしが事情《じじょう》を説明すると、司書の先生はおかしそうに笑った。

「ああ、そのおまじない、まだあるのね。それはね、いたずらなんかじゃなくて、『しおりに好きな子の名前を書いて大事に使ってたら両想いになれる』っていう、昔からあるおまじないよ。きっと、あなたに片想《かたおも》いしてる子がうっかり挟《はさ》んだまま返却《へんきゃく》してしまったんじゃないかしら」

「わたしに……片想《かたおも》い……？」

「きっと、その本を借りたことのあるだれかの忘《わす》れ物《もの》よ」

司書の先生は楽しそうに「ウフフ」と笑いながら去っていった。

意外すぎる展開《てんかい》に、わたしはしばらく呆然《ぼうぜん》としてしまったが、ふとあることを思い出した。ここの貸出《かしだし》受付機には、これまでにその本を借りた人の名前も表示《ひょうじ》されるのだ。

おそるおそる貸出機《かしだしき》にバーコードを読みこませてみる。この本は新刊《しんかん》だ。表示《ひょうじ》されたリストには、まだひとりの名前しか載《の》っていなかった。

「『岸田征也《きしだせいや》』って……これ、征也《せいや》くんの名前！　じゃああのしおりは征也《せいや》くんの忘《わす》れ物《もの》で……。じゃ、じゃあ、しおりのおまじないをかけたのは……」

そのとき、背後《はいご》でバサバサッと本を落とす音が聞こえた。

振《ふ》り返《かえ》ると、そこには、真っ赤な顔をした『犯人《はんにん》』が固《かた》まったまま立っていた。

♥episode - 07

それは死がふたりをわかつまで

あの人は、運命の人だ。

休日の夕暮《ゆうぐ》れ、明日香《あすか》は繁華街《はんかがい》を歩いている時に目の前からやってくる男性《だんせい》と目が合った瞬間《しゅんかん》、そう思った。

初めて会う人だ。見覚えなんてないし、当然名前だって知らない。

けれど〝リュシオン〟だとわかった。彼《かれ》はリュシオンだ。

そして――明日香《あすか》の記憶《きおく》が弾《はじ》けて、刹那《せつな》、思い出がよみがえった。

「リュシオン！」

アスカートはスカートの裾《すそ》をつかんでリュシオンに駆《か》け寄《よ》った。大きな体の彼《かれ》はアス

カートの顔を見て、今にも泣き出しそうに顔を歪《ゆが》ませる。

「本当なの、リュー！　戦争に行くなんて……ウソでしょう？」

勢《いきお》いそのままにアスカートはリュシオンの胸《むね》に飛びこんで叫《さけ》ぶ。それを彼《かれ》はいともかんたんに受け止め、ぎゅっと抱《だ》きしめてからアスカートの肩《かた》を取って顔を合わせる。

「本当だよ、アスカ。明日には出発しなくちゃいけなくなったんだ……」

「来月には結婚《けっこん》しようって言ってたじゃない！」

「ごめん……でも」

アスカートは自分がワガママを言っていることはわかっていた。おそらく出兵命令が届《とど》いたのだろう。皇帝《こうてい》からの命令を断《ことわ》るなんて、平民であるリュシオンにはできない。

アスカートとリュシオンは、小さな村で共に育った。

王都《おうと》から遠く離《はな》れた田舎町《いなかまち》で、夏は豊《ゆた》かな土地だけれど、冬になると寒さが厳《きび》しく、村人みんなで協力し合って生きていかなければいけない、そんな場所だ。だから年の近いふたりは、生まれた時から家族のような近しい関係だった。

狩《か》りがうまく力も強い、けれど心優《こころやさ》しい二歳《さい》年上のリュシオンが、アスカートは大好きだった。同じように、リュシオンは年下のいつも元気で明るい、寒い冬でも心があたたかくなるような笑顔《えがお》を見せるアスカートを大切に思っていた。

家族だと思っていた想いが、いつから特別な想いになったのかは、わからない。

でもそんなことはどうでもよかった。

そばにいるのが当たり前で、それは自然なことだったから。

「ふたりはまるで運命の相手同士《どうし》のようね」

そう言ったのはリュシオンの母親で、アスカートの母親もその意見にうなずいた。

リュシオンとアスカートは顔を見合わせて、幸せな笑《え》みを浮《う》かべた。そうか、運命なのか、と。それは、恋《こい》や愛よりも、胸《むね》にある相手への想いの名前にぴったりだった。

来年、アスカートが十八歳《さい》になったら結婚《けっこん》しよう、と言ったのはリュシオンだった。

「死ぬまで、一緒《いっしょ》にいよう」

「わたしより先に死なないって、最後までそばにいてくれるって、約束してくれる?」

「ああ、もちろん」

リュシオンの返事に、アスカートは微笑《ほほえ》んだ。

村に伝わる伝統《でんとう》の柄《がら》を編《あ》みこんだ布《ぬの》を巻《ま》いて、幼《おさな》いころからアスカートが嫁入《よめい》りのために準備《じゅんび》してきた衣装《いしょう》を着て、ふたりは村中の人に祝福される予定だった。

戦争がはじまったのは、それからすぐあとのことだ。

数年前に隣国《りんごく》の皇帝《こうてい》がかわって、アスカートたちの住む国とそれまで交わしていた条《じょう》約《やく》を無視《むし》されるようになった。何度も平和に向けての話し合いが行《おこな》われてきたが、結局話はまとまらず、戦争となってしまったらしい。

同じ国とはいえ、アスカートたちにとっては遠い世界で起こっていることのような気がしていた。そのくらい、村は穏《おだ》やかでのんびりとしていたから。危険《きけん》を感じるのは、少し離《はな》れた山から下りてきて襲《おそ》ってくる獣《けもの》くらいだ。

けれどそれも、つかの間のことだった。

戦争が長引くにつれて、今まで手に入っていたものがなかなか入らなくなる。さらに、国に収《おさ》める村の食料などの量が増《ふ》えた。ときおり届《とど》く王都《おうと》の噂《うわさ》も、不穏《ふおん》なものが増《ふ》えた。

それでも、アスカートたちには関係のないことだった。

そう思っていたのに。

どうやら兵を増員《ぞういん》する予定らしい。この田舎《いなか》の村にまで命令が届《とど》くということは、あまり戦況《せんきょう》がよくないのだろう。リュシオン以外にも、村の男性《だんせい》たちのほとんどが、戦争に行くことになった。

リュシオンの胸《むね》の中で、アスカートは涙《なみだ》をこらえる。

「アスカと離《はな》れるのはつらい、けど。この国のために、僕《ぼく》らの未来のために、僕《ぼく》は行くよ。だから、待ってて」

「待ってるから、ぜったいに戻《もど》ってきて」

「ああ、アスカよりも先に死なないって約束しただろ」

目を細めて、リュシオンはアスカートの顔を両手で包んだ。あたたかいぬくもりに、せっかく我慢《がまん》していた涙《なみだ》がこぼれ落ちる。

「アスカートは僕《ぼく》と結ばれる運命にあるんだから」

「リュー、わたし、待ってるからね」

ざあっと一陣《いちじん》の風が通りすぎて、ふたりの髪《かみ》の毛《け》が揺《ゆ》れた。

この村で再《ふたた》び抱《だ》き合《あ》える日が来ると確信《かくしん》はできない。けれど、アスカートはそれを信じて待つ。リュシオンも、アスカートと自分のために、希望を決してあきらめないと自分に誓《ちか》った。

そうして、リュシオンがいなくなってから二年がたった。

けれど、戦争が終わったという知らせは届《とど》かなかった。以前は数か月に一度は届《とど》いていた手紙も一年ほど前から止まっている。

男手がなくなってから、村に残った女性《じょせい》と子どもたちは、力を合わせてなんとか日々《ひび》の暮《く》らしを保《たも》っていた。生きるために必死になる生活のおかげで、アスカートはかろうじて前を向けた。

そうでなければ、毎日リュシオンのことを考えてしまい、不安で眠《ねむ》れなかっただろう。

きっと、戻《もど》ってくる。

リュシオンは約束を守ってくれる。

それからさらに一年後、小さな箱がアスカートの手元に届《とど》けられた。差出人の名前はなく、箱の中には何か小さなものが入っているのか、振《ふ》るとカタカタと音が鳴る。

「リュシオンからじゃない？」

「きっともうすぐ帰ってくるのよ！」

興奮《こうふん》する母親の声が遠くに聞こえる。なぜか、アスカートの胸《むね》に不安が広がり、心臓《しんぞう》がバクバクと大きな音を鳴らしていた。

深呼吸《しんこきゅう》をして、箱を開けると、そこには、小さなブレスレットが入っていた。

それが何を指すのか、田舎《いなか》で暮《く》らしているアスカートも知っている。この村から戦争に行った男性《だんせい》の妻《つま》の元に、これまで何度か届《とど》いたものだ。

手に取ると、箱の中に入っていた時よりも重く感じた。ブレスレットと一体化しているリュシオンの名前が刻《きざ》まれたネームプレートには、赤黒い何かが付着している。

これは――リュシオンが亡《な》くなったという、知らせだ。

「ウソ……やだ！　やだ！　何かのまちがいよ！」

頭を振《ふ》り、アスカートはその場に崩《くず》れ落《お》ちた。

中に一緒《いっしょ》に入っていた小さな紙には、リュシオンは数か月前に行方不明《ゆくえふめい》になり、先日このブレスレットがいくつもの死体のそばに落ちていた、と書かれていた。

敵《てき》にひどい目にあわされたのか、亡《な》くなった人たちを正確《せいかく》に見分けることはできなかったけれど、このネームプレートを頼《たよ》りに遺族《いぞく》へ送《おく》り届《とど》けているらしい。

リュシオンは約束を破《やぶ》るようなことはしない。先に死なないとそう言った。何よりも、ブレスレットだけで、彼《かれ》の死を信じられるわけがない。

「いやよ！　わたしは信じない！」

泣きじゃくるアスカートを、母親が優《やさ》しく抱《だ》きしめた。

「信じないんだから！」

母親の腕《うで》の中で、アスカートは涙《なみだ》を流しながら叫《さけ》び続《つづ》けた。

戦争が終わったのは、それから一年半ほどあとのことだ。

おたがい疲労《ひろう》した結果、戦争を終わらせるために国同士《くにどうし》で話し合いが行《おこな》われ、再《ふたた》び和《わ》平条約《へいじょうやく》が結ばれたらしい。

戦争に行っていた村人の何人かが戻《もど》ってきて、家族や友人との再会《さいかい》を喜《よろこ》んでいた。

リュシオンも戻《もど》ってくるのではないかと期待していたけれど、一年たっても二年たっても、彼《かれ》が姿《すがた》を現《あらわ》すことはなかった。

アスカートはすでに二十五歳《さい》になっていた。

この小さな村では、二十歳《さい》をすぎれば結婚《けっこん》するのが当たり前だった。二十五歳《さい》のアスカートはすでに婚期《こんき》をのがしていて、心配した母親や、彼《かれ》の死を受け入れたリュシオンの母親にまでお見合いを何度もすすめられた。

リュシオンの死を信じているわけではない。けれど、まわりの心配を無視《むし》することもできず何度か男性《だんせい》に会い、何人かの村人とも結婚《けっこん》の話が出た。

でも、無理だった。

向けられる笑顔《えがお》は、リュシオンのものではないし、聞こえてくる声もリュシオンの声ではない。リュシオンではない人と一緒《いっしょ》にいればいるほど、リュシオンが恋《こい》しくなり、つらくて苦しくなる。

いつしかだれも、アスカートに縁談《えんだん》の話をしなくなった。

そして、アスカートも、リュシオンだけを愛し続けて生きていくことを決めた。

そばにいてもいなくても、アスカートにとって、リュシオンはただひとり、愛する人なのだ。この先も、ずっと。

もう大丈夫《だいじょうぶ》だ、と前を向いたころだった。

「アスカ！」

風と共になつかしい、愛《いと》おしい声が聞こえてきた。

おそるおそる振《ふ》り返《かえ》ると、ひとりの男の人が自分に向かって走ってきている。

記憶《きおく》よりもずっと大人《おとな》っぽくなったけれど、見まちがえるはずがない。

「リュー！」

彼《かれ》の胸《むね》に包まれると同時にアスカートの視界《しかい》が弾《はじ》ける。彼《かれ》の顔をよく見たいのに、にじんだ涙《なみだ》で見えない。かわりに両手を伸《の》ばして彼《かれ》の頬《ほお》をなでる。

「遅《おそ》くなって、ごめん。必死に逃《に》げてたら別の国にまぎれてしまって、それで……」

「いいの、信じてたから、いいの」

やっぱり彼《かれ》は生きていた。

だって約束をしたから。運命の相手だから。たがえることはない。

数年ぶりに彼《かれ》のぬくもりに包まれていると、ふたりを祝福するかのように花びらが風に乗って舞《ま》っていた。


「明日香《あすか》？」

名前を呼《よ》ばれ明日香《あすか》はハッとして顔を上げる。

「どうした、ぼーっとして」

隣《となり》にいたのは、来月に結婚《けっこん》する予定の恋人《こいびと》だ。彼《かれ》は心配そうに明日香《あすか》の顔をのぞきこんでいた。

ちらりと、さっき目の合った男性《だんせい》に視線《しせん》を向けると、彼《かれ》も隣《となり》にいる女性《じょせい》に話しかけられている。一瞬《いっしゅん》だけ、また目が合った。

(彼《かれ》は、リュシオンだ。わたしの、運命の相手だ)

説明できないけれど確認《かくにん》した。きっとこれは前世の記憶《きおく》だろう。こんなことがあるなんて、数秒前まで夢《ゆめ》にも見ていなかった。

戦争で一時別れたものの、再会《さいかい》をはたしたふたりは、村で最も仲のいい夫婦《ふうふ》として、生涯《しょうがい》を共にした。彼《かれ》は約束を守り、アスカートの死を見守ってくれた。

運命は死がふたりをわかつまで。

だからもう、ふたりの間に運命はなく、それぞれ別の大切な人がそばにいる。

「ううん、なんでもない」

明日香《あすか》は恋人《こいびと》の手を取って、〝かつて〟運命の相手だった男性《だんせい》の横を通りすぎた。

♥episode - 08

K《ケー》・M《エム》からのラブレター

『榎本由香《えのもとゆか》さん。隣《となり》の席になってから、好きになりました。とにかく気持ちを伝えたかったので、この手紙を書いています。返事はいりません』

きれいな字で書かれたその文面の下には、K《ケー》・M《エム》というイニシャル。中学校に着いた私《わたし》は、くつ箱に入っていたその便箋《びんせん》を読むと、あわてて封筒《ふうとう》へ戻《もど》し、ポケットに入れた。ラブレターをもらったのも告白《こくはく》されたのも、生まれてはじめてだ。登校してきた他《ほか》の生徒に見られていないか確認《かくにん》しながら、三年一組の教室へと急ぐ。心臓《しんぞう》の音がうるさい。

「隣《となり》の席」「K《ケー》・M《エム》」……これだけで南田航《みなみだこう》くんだとすぐにわかった。先日の席替《せきが》えで、隣《となり》の席になったばかりの男子だ。初めて一緒《いっしょ》のクラスになったし、中三になってまだひと月なので、あいさつくらいしかしたことがない。

なんで、私《わたし》のことを……？　そう思うと、カーッと頰《ほお》が熱くなるのを感じた。手の甲《こう》でその熱を冷やしながら、教室に入る。

「おはよう、榎本《えのもと》」

自分の席まで来ると、すでに席に着いていた南田《みなみだ》くんが、いつもと変わらない口調であいさつをしてきた。私《わたし》はびくりと肩《かた》を上げ、南田《みなみだ》くんを直視《ちょくし》できないまま、小声で「……おはよ」と返す。

南田《みなみだ》くんは、隣《となり》の席になってから毎日あいさつをしてくれる。基本《きほん》、まわりの人にはみんなにあいさつをしているから特別なことには感じていなかったけれど、あのラブレターをもらったからには、意識《いしき》せずにいられない。

「悪い、榎本《えのもと》。俺《おれ》、今日消しゴム忘《わす》れちゃったんだけど、二個《こ》持ってたりしない？」

「も、持ってる……はい」

「やった！　サンキュ」

今日はやけにフレンドリーに話しかけてくる。これって、アプローチっていうやつ？

南田《みなみだ》くんて意外と積極的なんだな。返事はいらないとあったけれど、相手を意識《いしき》させるという点では案外効果《こうか》の高いラブレターの書き方かもしれない。そういう作戦なのだとしたら、南田《みなみだ》くんは相当やり手だ。さわやかな笑顔《えがお》で消しゴムを受け取るその顔をちらりと盗《ぬす》み見《み》て、照れた私《わたし》はごまかすように咳払《せきばら》いをした。


「あ、ねぇねぇ、由香《ゆか》。村留《むらどめ》くん、走ってるよ。かっこいい！」

ある日の登校時、一緒《いっしょ》になった友だちの美鈴《みすず》が、反対側の歩道を走っている集団《しゅうだん》を指さした。朝練中の陸上部の人たちで、その中に村留《むらどめ》くんという男子がいる。

村留《むらどめ》くんは、同学年の中で人気のある男子だ。頭もよくて足も速くて顔も整っているから、モテて当たり前だろう。私《わたし》もいいなと思っていた時期があった。彼《かれ》が同じ塾《じゅく》に入ってきて少し話す機会があり、そのキラキラぶりにひかれたのだ。

「ほら、由香《ゆか》！　今、ぜったいこっち見たよ！」

けれど、今は、美鈴《みすず》みたいに色めきたつような気持ちにはなれない。なぜなら……。

「おはよう、榎本《えのもと》」

現在《げんざい》、隣《となり》の席の南田《みなみだ》くんに心を乱《みだ》され中《ちゅう》だからだ。

あれから、南田《みなみだ》くんと少しずつ話すようになった。そもそも、南田《みなみだ》くんはだれに対しても気軽に声をかける人のようだから、私《わたし》と話をしていても目立つわけではない。けれど、貸《か》した消しゴムのかわりにシャープペンシルの芯《しん》をくれたり、教科書を忘《わす》れた時にはこころよく見せてくれたりと、ひとつひとつのやりとりが特別なことに思えた。彼《かれ》からの好意がわかっているから、私《わたし》の中でだけ妙《みょう》にソワソワドキドキするのだ。

「すげー、榎本《えのもと》。俺《おれ》、英語のテストで満点取ってる人、初めて見た」

「あ……ハハ、たまたまヤマがあたっただけだよ。ほら、私《わたし》、塾《じゅく》にも行ってるし」

「がんばってるなー、榎本《えのもと》。えらいじゃん」

ほら、こんなふうに自然にほめてくれるし、笑顔《えがお》を向けてくれるものだから、やっぱり心が落ち着かない。あのラブレターのことがいちいち頭によみがえり、話しかけられるたびにドギマギして、こそばゆい気持ちになるんだ。

ラブレターをもらってから、ひと月がたった。明日は席替《せきが》えの日だ。隣《となり》の席の南田《みなみだ》くんとは、離《はな》れることになる。

「榎本《えのもと》、ごめん。古文の訳《やく》なんだけど、ここ合ってる？　今日、俺《おれ》、当てられる日でさ」

「ちょっと待ってね」

南田《みなみだ》くんがノートを見せてきたから、私《わたし》も予習していた自分のノートを取り出した。

彼《かれ》の書いた訳《やく》と、私《わたし》の書いた訳《やく》を並《なら》べて確認《かくにん》する。

「うん、大丈夫《だいじょうぶ》……だと、思……う」

言いながら、違和感《いわかん》を覚えた。南田《みなみだ》くんの字は特徴的《とくちょうてき》で、右ななめの癖《くせ》のある字だったからだ。あれ？　ラブレターの字と……ちがう？

「あ、何か落ちたぞ？　封筒《ふうとう》？」

その時、ノートに挟《はさ》まっていた封筒《ふうとう》が落ち、とっさに南田《みなみだ》くんが拾ってくれた。そのとたん、私《わたし》は南田《みなみだ》くんの手から奪《うば》い取《と》る。だって、南田《みなみだ》くんからもらったラブレターだったからだ。昨夜《さくや》読み返したものだから、ノートにまぎれていたらしい。

はずかしすぎて真っ赤になった私《わたし》は、南田《みなみだ》くんの顔を見ることができない。

「悪い悪い。大事なものだったんだな。勝手に見ないから安心しろって」

……え？　まるでこの手紙のことなど知らないような口ぶりだ。ノートを受け取り、

「訳《やく》、サンキュー。ていうか、榎本《えのもと》はさすがだよな。当てられる当てられない関係なく勉強してきてさ。俺《おれ》、榎本《えのもと》の隣《となり》になって、ようやく自覚が出てきた。受験生なんだって」

と、屈託《くったく》もなく笑っている。

「ハ……ハハ」と乾《かわ》いた声で笑い返した私《わたし》の頭の中は、ハテナマークでいっぱいだった。

あれ……？　もしかしてこの手紙、南田《みなみだ》くんからじゃ……ない？

「手紙、読んでくれた？　返事はいらないって言ったけど、ちょっと気になって」

その日の夜、塾《じゅく》の授業《じゅぎょう》が終わって外へ出ると、村留《むらどめ》くんからそう話しかけられた。そして「手紙」というワードで急速に理解《りかい》する。

村留《むらどめ》くんのフルネームって、たしか、村留一樹《むらどめかずき》……K《ケー》・M《エム》だ。そして、二年生の時、塾《じゅく》の席が隣《となり》だったことがあった。そうだ、手紙に「隣《となり》の席になってから」とあったけれど、今現在《いまげんざい》そうだとはひとことも書いていなかった。おどろきと納得《なっとく》がごちゃまぜで、うまく言葉が出てこない。

「悪いけど、やっぱり気持ち聞かせてもらってもいいかな?」

村留《むらどめ》くんは、照れたように頭をかいた。村留《むらどめ》くんからの告白《こくはく》なんて、恐《おそ》れ多《おお》いくらいうれしいことのはずだ。女子ならだれもがうらやむことだろう。私《わたし》だって、いいなって思っていたひとりだし、断《ことわ》る理由なんて……。

「ご……ごめんなさい」

けれど、私《わたし》の口は勝手にそう動いていた。

K《ケー》・M《エム》は、南田《みなみだ》くんじゃなかった。あのラブレターを書いたのは、南田《みなみだ》くんじゃなかった。私《わたし》のことを好きだと思ってくれていたのは、南田《みなみだ》くんじゃなかった。

家に帰ってから、頭の中はそればかりだった。村留《むらどめ》くんの告白《こくはく》を断《ことわ》ったことに対しても苦い気持ちがあるけれど、それよりも、あの手紙の差出人が南田《みなみだ》くんじゃなかったことのほうが、なぜか私《わたし》にとっては重大なことだった。

よく話しかけられるなと思ったのも、たまたま隣《となり》の席になったからというそれだけだったんだ。笑いかけられるのも、優《やさ》しい言葉をかけられるのも、ただ南田《みなみだ》くんの人柄《ひとがら》がそうだっただけ。特別扱《とくべつあつか》いされていたわけじゃなくて、ただの勘違《かんちが》いだったんだ。

翌日《よくじつ》も、ため息をつきながら学校へ行った。

「おはよう、榎本《えのもと》。この席とも今日でお別れだな」

南田《みなみだ》くんは、私《わたし》の気持ちなんて知らずにそんなことを言ってきた。チクリと胸《むね》が痛《いた》み「そうだね」と、うつむく。

「どうした？　何かあったのか？　相談乗るぞ、榎本《えのもと》には世話になったし」

南田《みなみだ》くんがニッと微笑《ほほえ》んで、のぞきこんできた。目が合うと、今度は心臓《しんぞう》が跳《は》ねたようにドキッとして、あわてて目をそらす。これは、もう疑《うたが》いようがなかった。私《わたし》は、いつの間にか南田《みなみだ》くんのことを好きになっていたんだ。

「自分の勘違《かんちが》いで終わっちゃったことがあって。そもそも何もはじまってなくて……」

言いながら、情《なさ》けなくなる。この一か月、私《わたし》はただのうぬぼれ屋だったのだから。

「よくわかんないけど、それなら、自分ではじめたらいいんじゃない？」

けれど、南田《みなみだ》くんは、こともなげにそう言い放った。横を見ると、私《わたし》が何について言っているのか知らないくせに、なぜか自信満々《じしんまんまん》に親指を立てている南田《みなみだ》くんがいる。

私《わたし》は、ふっと吹《ふ》き出《だ》してしまった。たしかにそうだ。勘違《かんちが》いで何もはじまっていなかったからといって、なんだっていうんだ。自分の気持ちを自覚したんだから、これからこの気持ちとつき合っていけばいい。終わらせる必要なんてないんだ。

「がんばってみようかな……」

「おう、がんばれ！」

手を上げた南田《みなみだ》くんに、私《わたし》も手を上げる。すると、勢《いきお》いよくハイタッチされ、パチンと弾《はじ》けたような音が響《ひび》いた。私《わたし》の初恋《はつこい》は、今はじまったばかりだ。

♥ episode - 09

雨の日の雨子《あめこ》さん

朝起きて最初にすることは、窓《まど》を開けて、天気の確認《かくにん》だ。

「やった！　雨だ！」

僕《ぼく》、中学二年生の南雲遼太郎《なぐもりょうたろう》は、いつも雨の日を心待ちにしている。

今朝《けさ》も、意気揚々《いきようよう》と傘《かさ》をさして、家を出た。早朝から降《ふ》っていたという大粒《おおつぶ》の雨が透《とう》明《めい》なビニール傘《がさ》に当たり、バタバタと音を立てる。

そろそろ梅雨《つゆ》の時期だ。

（今日もいるかな……彼女《かのじょ》は……）

いつもと同じ時間に目的の場所へたどり着く。それは、一本の歩道橋がかかった道路だった。通学路の途中《とちゅう》にある片側《かたがわ》三車線の広い道路に、ちょっと錆《さび》の浮《う》いた鉄筋《てっきん》の歩道橋が、僕《ぼく》の生まれる前からかかっている。

その歩道橋の上で、いつもすれちがう女の子がいる。

とても不思議《ふしぎ》な子なのだ。なにしろ、『雨の日の朝にしか現《あらわ》れない』のだから。

彼女《かのじょ》の存在《そんざい》に気づいたのは、去年、中学に入学してからすぐのころだった。僕《ぼく》とはちがう学校の黒いセーラー服を着ていて、足には白いタイツを履《は》いているが、それにも負けないくらい肌《はだ》は白い。長い髪《かみ》は真っ黒で、瞳《ひとみ》も黒。制服《せいふく》のリボンは白で、靴《くつ》は黒。そして、白い大きな傘《かさ》をさしている。まるで、古いモノクロの映画《えいが》から抜《ぬ》け出《だ》してきたかのような色合いだった。

初めてすれちがった時、雨の中をゆっくりと静かに歩いてくるその姿《すがた》が、それこそまるで映画《えいが》のコマ送りのように一場面一場面、心に焼きついた。

好きになった。一目惚《ひとめぼ》れだ。初めて人を好きになったにも関《かか》わらず、それが恋《こい》だとすぐにわかった。

(いた！　今日も……きれいだな、雨子《あめこ》さん)

名前も知らない彼女《かのじょ》のことを、僕《ぼく》は心の中で『雨子《あめこ》さん』と呼《よ》んでいる。

雨子《あめこ》さんが道路の向かい側から階段《かいだん》を上《のぼ》っているのが見えると、僕《ぼく》も手前の階段《かいだん》をなるべく彼女《かのじょ》と同じ速度で上《のぼ》る。そしてできるだけ静かに、まるで賞状《しょうじょう》でも受け取る時のように緊張《きんちょう》しながら歩を進める。

足下《あしもと》を走る自動車の走行音も、傘《かさ》に当たる雨の音も、すうっと遠くに消えていって、こちらに近づいてくる雨子《あめこ》さんの姿《すがた》以外は何も視界《しかい》に入らなくなる。

歩道橋のほとんど真ん中で、僕《ぼく》たちは、たがいの傘《かさ》が当たらないくらいの距離《きょり》ですれちがう。そのほんの一瞬《いっしゅん》、伏《ふ》せられた雨子《あめこ》さんのまつ毛の下にうるんだ瞳《ひとみ》が見える。もっと見ていたいのに、目が合ってしまうことが怖《こわ》くて、すぐに視線《しせん》を外してしまう。目の奥《おく》に、いつも自然と力がこもってしまう。あまりに胸《むね》がしめつけられると泣きそうになってしまうのだということを、僕《ぼく》は彼女《かのじょ》のおかげで知ったのだ。

なぜ雨の日にだけ？　理由はわからない。声をかける勇気すらないのだから、知りようがない。それでも、僕《ぼく》は幸せだった。この時までは——。

「よう、遼太郎《りょうたろう》。今日こそ話しかけたか？　愛《いと》しの子には」

教室に入ってすぐ、クラスメイトの健介《けんすけ》に話しかけられた。僕《ぼく》が雨子《あめこ》さんのことを話したのはこの健介《けんすけ》だけだ。中学からの友人だが、不思議《ふしぎ》と気が合って、なんでも気安く話せてしまう。

「そ、そんなことするわけないだろ！」

「おいおい。何か行動を起こさないと、ずっと片想《かたおも》いのままだぞ？　『おはよう！　よく会うね！　ボクの名前は遼太郎《りょうたろう》っていうんだ。キミの名前を教えてよ』って、たったこれだけのことだろ？　な？」

オーバーアクションで芝居《しばい》がかった台詞《せりふ》まわしを披露《ひろう》する健介《けんすけ》に、今度は僕《ぼく》のほうがため息をつきそうだった。応援《おうえん》してくれるのはありがたいが、社交的な健介《けんすけ》と同じようなアプローチなんて僕《ぼく》には無理だ。そんなことができるなら、とっくに実行している。

「しっかし、不思議《ふしぎ》だよなあ。その、雨子《あめこ》ちゃんだっけ？　どうして雨の日だけなんだろうな。去年の雪の日には、いなかったんだろ？」

「うん。半分雨みたいなみぞれの日にはいたけど、雪が積もるほど降《ふ》ってる日にはいなかったよ。曇《くも》りの日もいない。いるのは雨が降《ふ》ってる日だけだよ」

僕《ぼく》が自分の席に腰《こし》かけると、健介《けんすけ》はその隣《となり》の女子の席に勝手に座《すわ》って話を続けた。

「いい加減《かげん》勇気を出して何か話しかけてみろって。おまえ、知らないのか？　あの歩道橋、来月あたりに撤去《てっきょ》されるらしいぞ」

「ええっ！」

寝耳《ねみみ》に水《みず》だ。知らなかった。健介《けんすけ》によれば、老朽化《ろうきゅうか》で危《あぶ》ないからという理由らしい。建《た》て替《か》えではなく、撤去《てっきょ》なのだそうだ。

（あの歩道橋がなくなったら……ひょっとして、もう雨子《あめこ》さんに会えなくなるんじゃないか……？　そんな……どうしよう……）

僕《ぼく》の顔を見て、健介《けんすけ》はちょっと真面目《まじめ》な表情《ひょうじょう》になった。

「なあ、遼太郎《りょうたろう》。その子がどこの学校に通ってるのかくらいは調べてみないか？　どんな制服《せいふく》だったか、覚えてるだろ？　オレ、一コ下の妹がいるから聞いてきてやるよ」

僕《ぼく》はあせりのあまり、健介《けんすけ》の腕《うで》をつかんでしまっていた。

「頼《たの》む、健介《けんすけ》！　待ってくれ、すぐに制服《せいふく》のスケッチを描《か》くから！」

時間がたって、昼休み。

妹に会うために一年生の教室へと足を運んでいた健介《けんすけ》は、真《ま》っ青《さお》な顔で震《ふる》えながら戻《もど》ってきた。

「なあ！　なあ遼太郎《りょうたろう》！　落ち着いて聞いてくれ！　これ、駅の反対側にある女子中学の制服《せいふく》でまちがいないって。けっこうなお嬢様《じょうさま》学校だって。でも……本当にその子はずっとこの格好《かっこう》だったのか？」

「ああ、出会ってからずっとその制服《せいふく》だったよ。まちがいない」

「でもこれ……冬服だぞ？　今ってもう夏服のはずだろ？」

「え……。あっ！」

そうだ。どうして今まで気がつかなかったんだろう。雨子《あめこ》さんは夏でも冬でも、この黒い長袖《ながそで》の制服《せいふく》だった。おまけにタイツまで。あきらかに季節感を欠いている。

どうしてなのかを考える前に、健介《けんすけ》が声をひそめて言った。

「実はな、数年前にその女子校の生徒がひとり、あの歩道橋の下で事故《じこ》にあってるらしいんだ。その事故《じこ》の日は大雨で、救急車《きゅうきゅうしゃ》が来るのが遅《おく》れたって……」

「え……。おい、まさかそれって……」

「その事故《じこ》以来、歩道橋の近くに幽霊《ゆうれい》が出るって、女子の間では有名な噂《うわさ》らしい……」

「う、うそだろ……」


放課後には、また雨が降《ふ》りはじめた。

(ずっと冬服……雨の日にだけ現《あらわ》れる……。そうだよな、あきらかに変だよな……)

怖《こわ》いというより、とにかくショックだった。健介《けんすけ》の言っていた事故《じこ》の記事がないかとスマートフォンで調べながら、僕《ぼく》はふらふらと家までの帰り道を歩いていた。

（雨子《あめこ》さんが幽霊《ゆうれい》……。そんなまさか……。いや、でも……）

傘《かさ》に当たる雨の音がだんだん大きくなってきた。ふと顔を上げると、いつの間にか例の歩道橋の下まで来ていた。

「あれ……？　え！　あれは！」

歩道橋の向こう側に、なんと雨子《あめこ》さんがいた。いつもは朝にしか見かけないのに、放課後のこんな時間に見かけるなんて、今までになかったことだ。そういえば放課後ずっと教室で考えこんでいたからか、今日はいつもより帰りの時間が遅《おそ》いけど……。いや、相手が幽霊《ゆうれい》なら、本来は時間なんて関係ないのかも……。

「……聞いてみよう。本人に！」

決心までの時間は短かった。ほとんど衝動的《しょうどうてき》と言っていい。かなり混乱《こんらん》していたのだろう。僕《ぼく》は道路の向こうにいる雨子《あめこ》さんに一秒でも早く会いたくて、歩道橋を渡《わた》らずそのまま道路を突《つ》っ切《き》ろうとして飛び出した。

キキーッ！　と、車の乱暴《らんぼう》なブレーキ音が聞こえた時には、もう遅《おそ》かった。

意識《いしき》を失う寸前《すんぜん》、雨子《あめこ》さんと目が合った気がした。どんな表情《ひょうじょう》をしていたかは、わからないけれど。


「きれいさっぱりなくなっちゃったな……」

一か月後の朝、僕《ぼく》は、同じ場所でたたずんでいた。天気は今日も雨。

言っておくが、僕《ぼく》はちゃんと生きている。

あの時、自動車事故《じどうしゃじこ》にあって、一か月の入院を余儀《よぎ》なくされた。その間に、歩道橋は跡形《あとかた》もなく撤去《てっきょ》されてしまったようだ。横断歩道《おうだんほどう》しかない道の端《はし》に、僕《ぼく》は傘《かさ》をさしたまずっと立っていた。季節はもう七月だが、雨のせいで肌寒《はだざむ》い。

退院後《たいいんご》初めての登校なのに、僕《ぼく》はいつまでもあの日のことを考えて、ぶつぶつとつぶやいていた。

「やっぱり僕《ぼく》はあの時、幽霊《ゆうれい》の雨子《あめこ》さんに呼《よ》ばれたのかな……」

とんでもない初恋《はつこい》をしてしまった。いや、それでもいい。あんなにも好きだったじゃないか。せめて彼女《かのじょ》に話しかける勇気が僕《ぼく》にあったら……。悔《く》やんでも悔《く》やみきれない。

その時だ。背後《はいご》から、聞き覚えのない声をかけられた。

「あの……あなたって、もしかして……」

振《ふ》り返《かえ》って、本当に息が止まるんじゃないかってほどおどろいた。

そこに立っていたのは、いつもの冬服姿《ふゆふくすがた》の雨子《あめこ》さんだった。

「え！　ええっ！　あ、雨子《あめこ》さん……ああいや、ええと……！」

大あわてする僕《ぼく》に、雨子《あめこ》さんは細く優《やさ》しい声でホッとしたようにこう言った。

「やっぱり、いつも歩道橋の上でお会いしてた人ですよね？　ここで事故《じこ》にあわれた時、わたしも近くにいたんです。よかった……無事だったんですね」

雨子《あめこ》さんは小さく笑った。信じられないくらいかわいい笑顔《えがお》だった。

僕《ぼく》は思いがけない形で、初めて雨子《あめこ》さんと会話をした。結果から言えば、雨子《あめこ》さんは幽霊《ゆうれい》などではなかった。話してくれた事情《じじょう》は、こうだ。

「わたし、小さいころから紫外線《しがいせん》に弱い体質《たいしつ》で……。日光アレルギーなんです」

雨子《あめこ》さんは、日光を浴びすぎると体に蕁麻疹《じんましん》ができて息苦しくなるのだという。最近はその症状《しょうじょう》がひどくなってきたので、外に出るのは雨の日だけ、しっかりと肌《はだ》を隠《かく》せる冬服で、と決めていて、晴れの日は車で送り迎《むか》えをしてもらっているのだそうだ。

おどろいたことに、雨子《あめこ》さんのほうも僕《ぼく》の存在《そんざい》を認識《にんしき》していて、いつもすれちがう時に気になっていたらしい。

「いつもとても真剣《しんけん》な顔をしていたのが印象的《いんしょうてき》で……。ごめんなさい、雨の日の朝にだけ会えるから『雨の人』って勝手に心の中で呼《よ》んでました。わたし、人と話すのがあまり得意《とくい》じゃなくて……。歩道橋もなくなってしまったし、もうあなたに会えないと思っていたのに、ここでまた会えたから、勇気を出して話しかけてみました」

いつも無表情《むひょうじょう》だった雨子《あめこ》さんとは別人みたいに、照れくさそうに微笑《ほほえ》んでいる。

そうか。きっと僕《ぼく》も、いつも緊張《きんちょう》のあまり無表情《むひょうじょう》だったんだ。

僕《ぼく》は大あわてでスマートフォンを操作《そうさ》し、週間天気予報《しゅうかんてんきよほう》の画面を見せた。

「今度の日曜は雨です！　あの、よかったら……買い物とか、水族館とか、映画《えいが》とか、なんでもいいんで……とにかく僕《ぼく》と、どこかに行きませんか！」

「えっ！　いいんですか？　わたしと一緒《いっしょ》だと、いつも太陽の見えない暗いところにいることに……」

僕《ぼく》は強引に口の端《はし》を広げ、満面の笑顔《えがお》をつくった。

「あなたが僕《ぼく》の太陽です！　だから、僕《ぼく》もあなたの太陽になりたいです！」

とんでもなくキザなことを口走っているのはわかっているが、もういい。もういいんだ。本当に会えなくなるかもしれなかったことを思えば、なんだってできる。

雨子《あめこ》さんは少し涙《なみだ》ぐんでいた。つられて僕《ぼく》も泣きそうになった。

それをぐっとこらえて、僕《ぼく》は太陽にも負けないつもりでまた笑顔《えがお》を見せた。

「僕《ぼく》、『雨の人』じゃなくて、南雲遼太郎《なぐもりょうたろう》っていいます。だから……。『雨子《あめこ》さん』の本当の名前も教えてください。これからは、雨の日じゃなくても会いたいから」

episode - 10

告白《こくはく》キャンセル、お願いします

恋愛《れんあい》なんて、わからない。他《ほか》の女子が盛《も》り上《あ》がってるけど、私《わたし》には全然いいものだと思えないし、キュンとかドキッとか感じたことすらない。それなのに……。

「え？　なんて言った？　今」

「だから、莉子《りこ》が好きだって言った。何回も言わせるな、アホ」

幼《おさな》なじみの裕《ゆたか》が、頭をかきながら視線《しせん》をなため下に落とす。私《わたし》は、もう一度「え？」と聞き返したい気持ちを抑《おさ》えて、まばたきをくり返した。

ここは、私《わたし》の家の前。そして、その隣《となり》は裕《ゆたか》の家。いつものように一緒《いっしょ》に中学校から帰ってきて、バイバイと手を振《ふ》る直前のできごと。

「えーと……ハハ、私《わたし》、そんなふうに裕《ゆたか》のこと見たことないんだけど」

空笑《からわら》いをしながら答えると、裕《ゆたか》は何も言わずに自分の家へと去っていった。おそろいで買った伸《の》び猫《ねこ》キーホルダーつきの鍵《かぎ》の音が耳に入り、玄関《げんかん》ドアの閉《し》まる音が響《ひび》く。

えー……？　裕《ゆたか》が私《わたし》のことを好き？　うそでしょ？　だって、家が隣《となり》で小さい時から一緒《いっしょ》に遊んでるし、家族ぐるみで仲がいいし、ずっと兄妹みたいなものだったじゃん。何をどうすれば、恋愛対象《れんあいたいしょう》になるわけ？

「おっはよー、ねぇ、裕《ゆたか》、昨日《きのう》配信されたミスリトのミュージックビデオ見た？」

翌朝《よくあさ》、先に学校へと歩いていた裕《ゆたか》に追いつき、背中《せなか》にポンと手を当てる。

「あー……見てねぇ」

「すっごくよかったよ！　キリジのラップが特に……」と説明しようとすると、裕《ゆたか》は「先行く」と言って、少し前を歩いていた男友だちのほうへ駆《か》けていった。

何それ？　感じ悪いな。昨日《きのう》の告白《こくはく》を断《ことわ》ったことを、怒《おこ》ってるのだろうか。

バッグにつけている自分の伸《の》び猫《ねこ》キーホルダーを見て、私《わたし》は鼻で息をついた。

「裕《ゆたか》ー、教科書忘《わす》れたから、貸《か》してくれない？」「俺《おれ》以外のやつに借りて」

「今日の帰りにミケゾンビの新刊《しんかん》買いにいくのつき合ってよ」「用事があるから無理」

「聞いて聞いて。数学のテスト、久《ひさ》しぶりに八十点以上取ってさ」「へぇー」

一週間、裕《ゆたか》はこんな感じで私《わたし》にそっけない態度《たいど》を取り続けた。

「ねぇ、ちゃんと聞いてよ」

下校時に裕《ゆたか》を追いかけ、腕《うで》に手を巻《ま》きつけると、裕《ゆたか》は思いきりその手を振《ふ》りほどく。

「いい加減《かげん》離《はな》れろ。今まで通りになんて無理だろ。フッた相手にベタベタするなよ」

その顔が、見たことがないくらい冷ややかだったので、一瞬《いっしゅん》だけひるんだ。けれど、私《わたし》はすぐに逆《ぎゃく》ギレモードになる。

「はいはい、わかりました！　話しかけなきゃいいんでしょ？　じゃあ、私《わたし》にもぜったい話しかけないでよね？　知らないからね？」

たがいに「ふんっ！」と顔を背《そむ》け、それぞれの家に帰る。

こんな感じになったのは、小学生の時のケンカ以来だ。中学二年生になってまで、こんな幼稚《ようち》な言い合いをするなんて思ってもみなかった。裕《ゆたか》は私《わたし》に「好き」だと言ったけれど、あんな態度《たいど》を取るんだから、結局勘違《かんちが》いだったんじゃないだろうか。

それから二週間、私《わたし》と裕《ゆたか》は本当に口をきかなかった。目が合っても逸《そ》らされ、登下校で一緒《いっしょ》になっても歩調を速められて離《はな》される。そんなことをされたら、さすがの私《わたし》も傷《きず》つくし、イライラも募《つの》っていった。

「裕《ゆたか》くん、最近すごく背《せ》が伸《の》びたよねー。私《わたし》チビだから、身長少し分けてよー」

裕《ゆたか》の教室の前を通りかかると、廊下《ろうか》で女子と背比《せいくら》べをしている場面に出くわした。たがいの頭に手をのせて、背《せ》が高いだの低いだの言って笑い合っている。

……何あれ？　白い目で見た私《わたし》は、早足で自分の教室へと急ぐ。

「やだ、この伸《の》び猫《ねこ》のキーホルダー、プニプニしててかわいいー。私《わたし》も欲《ほ》しいなー」

裕《ゆたか》の鍵《かぎ》についたキーホルダーのことだろう。そんな声も背中《せなか》で聞く。もしかしたら、あげちゃうのかな？　そう思うと、教室のドアを閉《し》める手に力が入った。バンッと響《ひび》いたことで数人から注目され、自分が無性《むしょう》に腹《はら》が立っていることに気づく。

私《わたし》とはしゃべらないくせに、私《わたし》には離《はな》れろって言うくせに、他《ほか》の女子ならいいんだ？

私《わたし》には冷たい顔をするくせに、あの子には笑いかけるんだ？　一緒《いっしょ》にガチャガチャで粘《ねば》ってようやく出たおそろいのキーホルダーも、かんたんに渡《わた》しちゃうんだ？

下唇《したくちびる》をかみ、自分の子どもっぽさに落ちこむ。……ほら、ぜったい、今まで通りがよかったのに。裕《ゆたか》のバカ。告白《こくはく》なんて意味不明なこと、なんでしてきたんだろう。


「しゃべらないんじゃなかったのかよ？　なんで待《ま》ち伏《ぶ》せするんだ？」

その日の下校後、裕《ゆたか》の家の前で仁王立《におうだ》ちしていた私《わたし》は、帰ってきた裕《ゆたか》に立ちはだかる。

「このままは嫌《いや》なの。早く元通りになりたいから、あの告白《こくはく》をなかったことにしてよ」

裕《ゆたか》は、これみよがしにため息をついた。そして、視線《しせん》を合わせて大きく一歩近づき、私《わたし》は門扉《もんぴ》を背《せ》に追《お》い詰《つ》められたような格好《かっこう》になる。じっと見られて顔を寄《よ》せられると、急に心拍《しんぱく》が速まり出し、首をすぼめて思いきり目を閉《と》じた。

すると、おでこにパチンと小さな痛《いた》み。デコピンをされたことに気づき、目を開ける。

「なかったことにはできないし、今まで通りとか無理」

「そ、そんなことないよ！」

「それに、俺《おれ》が近づいただけで莉子《りこ》もめちゃくちゃビクついてるじゃん。これにこりたら、もう関わるな。俺《おれ》の莉子《りこ》への気持ちと、莉子《りこ》の俺《おれ》への気持ちは全然ちがうんだから」

裕《ゆたか》は、私《わたし》の横を通りすぎて、玄関《げんかん》ドアを開けようとしている。いよいよ聞く耳は持たない様子で、こちらを見向きもしない。私《わたし》は、とっさにバッグにつけている伸《の》び猫《ねこ》のキーホルダーを外した。そして、それを裕《ゆたか》の背中《せなか》に投げつける。

「いって！」

裕《ゆたか》が振《ふ》り返《かえ》るよりも早く、私《わたし》は大きな声で叫《さけ》んだ。

「たしかに私《わたし》と裕《ゆたか》の気持ちはちがう。裕《ゆたか》は私《わたし》みたいなことは思わないもんね！」

「私《わたし》みたいなって、どんなことだよ？」

「私《わたし》以外と親しくしているのがヤダとか、私《わたし》のいないところで笑ってほしくないとか」

「……は？」

「ゆ、裕《ゆたか》の隣《となり》を取られたくないとかっ！」

そうだ、私《わたし》は、自分が今まで裕《ゆたか》のいちばん近くにいたのに、そのポジションに他《ほか》の女子がいることが気に入らないんだ。それがわかると、鼻の奥《おく》がツンと痛《いた》くなり、目頭《めがしら》が熱くなった。思わずしゃがみこむも、かえってそれがベソをかいているみたいになる。

すると、視界《しかい》の地面に裕《ゆたか》のスニーカーが映《うつ》りこみ、私《わたし》と同じ目線まで屈《かが》まれる。

「ようは、自分だけが俺《おれ》の特別でいたいってこと？」

たしかにそうだと思って小さくうなずき、ちょっとだけ顔を上げた。すると、裕《ゆたか》が得《と》意《い》そうにニッと口角を上げる。その表情《ひょうじょう》に、一気に胸《むね》の中が騒《さわ》がしくなった。

「バカだろ。一緒《いっしょ》じゃん、気持ち」

おそろいのキーホルダーを私《わたし》の手のひらへ戻《もど》した裕《ゆたか》の言葉に、頰《ほお》が火照《ほて》り出《だ》す。

……あれ？　もしかして私《わたし》……。その瞬間《しゅんかん》、この気持ちがなんなのかを自覚した私《わたし》は、今まで通りってどうやるんだっけ？　と、心の中で自問自答したのだった。

♥episode - 11

ぼくは恋《こい》のキューピッド

〝運命の恋《こい》〟なんてものがこの世に生まれる理由を、あなたは知っていますか？
それは恋《こい》の協力者・キューピッドたちがお手伝《てつだ》いをしているからです。
ほら、キューピッド見習いの少年がまたひとり、人間界にやってきましたよ。

＊

ぼくの名前はホタル。
一人前のキューピッドになるために、ただいま修行中《しゅぎょうちゅう》！
今日からは、いよいよ実習がスタート。下界に出ていって、人間の恋《こい》を叶《かな》えたら一人前として認《みと》められるんだ。ちょっと難《むずか》しいけど、がんばるぞ〜！

「んー、ちょうど恋《こい》してる子がどこかにいないかなあ……」

背中《せなか》の羽を動かしてフワフワと空を飛んでいたら、赤い屋根のお家を見つけた。中をのぞくと、十歳《さい》くらいの女の子がひとりぼっちで泣いている。

ふむふむ、彼女《かのじょ》の名前はイチゴちゃんっていうのか……。どうして、あんなにたくさん大粒《おおつぶ》の涙《なみだ》を流しているんだろう。ぼくは、彼女《かのじょ》の心をのぞいた。


——イチゴちゃんの心の中——

大好きな碧人《あおと》くんから声をかけてもらったのに、緊張《きんちょう》してなんにも言えなかった。

「メーワクだったみたいだね。話しかけてゴメン」って悲しませちゃった。

あんな態度《たいど》じゃ嫌《きら》っているみたいに見えるよね。

きっとゴカイされちゃったよ……。

彼女《かのじょ》の深い悲しみがぼくに流れこんできて、放っておけなくなった。

よし、このぼくがなんとかしてみせる。彼女《かのじょ》の恋《こい》を叶《かな》えてあげよう！

ぼくはイチゴちゃんの部屋の窓辺《まどべ》に降《お》りた。

「やあ、こんにちは。はじめまして、ぼくの名前はホタル……」

けれどもイチゴちゃんは、ぼくの顔を見たとたんにワナワナと震《ふる》え出《だ》した。

「きゃー、泥棒《どろぼう》！」

本やクッション、ぬいぐるみ。部屋の中にある、そこらじゅうの物がぼくに向かって飛んでくる。ぼくはそれをよけながら必死に叫《さけ》んだ。

「ちがう！　ぼくは泥棒《どろぼう》じゃないよ！　れっきとしたキューピッド見習いだって〜!!」

ぼくはイチゴちゃんに説明した。修行中《しゅぎょうちゅう》の見習いキューピッドであること、イチゴちゃんの恋《こい》のお手伝《てつだ》いをするために来たことなどなど。

はじめはぼくの話を聞いて目をパチクリとさせているだけだったけど、ぼくの背中《せなか》についている羽を見せたら、イチゴちゃんは信じてくれた。

「きみの恋《こい》を叶《かな》えるには、まずはそのすぐ緊張《きんちょう》しちゃうところを克服《こくふく》しなきゃ」

「けどホタル、どうやって克服《こくふく》すればいいの……？」

イチゴちゃんは不安げに顔を曇《くも》らせた。

「ようは慣《な》れればいいんだよ。ぼくを碧人《あおと》くんだと思って会話をしてみて」

「えー、碧人《あおと》くんはもっとカッコいいし……！」

ガクッときちゃった。ぼくは「しょうがないなあ」と言い、魔法《まほう》で碧人《あおと》くんの姿《すがた》に変身してみせる。この姿《すがた》なら文句《もんく》はないだろう。

ところが、イチゴちゃんの顔がみるみるうちに真っ赤になっちゃった！

「碧人《あおと》くん!?　ホタルが碧人《あおと》くんに!!」

やばい、今にも口から泡《あわ》を吹《ふ》いて倒《たお》れそうだ！

「イチゴちゃん、だいじょうぶ!?」

あわてて変身を解《と》くと、イチゴちゃんも落ち着きを取《と》り戻《もど》した。

「び、びっくりした〜！　ホタルって、魔法《まほう》を使えるの？」

「まあね、かんたんな魔法《まほう》だったら」

ぼくは、「えっへん」と胸《むね》をそらした。

「だったら、わたしに変身して、かわりに告白《こくはく》してくれない……？」

「それはだめなんだ。ぼくらはあくまでもお手伝《てつだ》い。最後に恋《こい》を叶《かな》えるのは自分の力じゃないと！　でも心配しないで。明日から姿《すがた》を消してイチゴちゃんについていくからね」

イチゴちゃんは安心したように笑う。

「うん、わかったよ。がんばるから、よろしくね……！」


次の日。学校に行ったら、いきなり碧人《あおと》くんと遭遇《そうぐう》した。

「おはよう、イチゴちゃん」

大好きな彼《かれ》にニッコリさわやか笑顔《えがお》であいさつされて、イチゴちゃんはあわあわ、昨日《きのう》みたいにまた倒《たお》れそう！　ぼくの出番だ！

「イチゴちゃん！　ぼくにまかせて！」

そばで見守っていたぼくは、イチゴちゃんの体の中にすばやく入る。

「おはよう、碧人《あおと》くん！」

イチゴちゃんのかわりにニコッと笑ってあいさつを返す。

碧人《あおと》くんが去ったあと、ぼくはイチゴちゃんの体から出てきた。

「ホタルって本当にすごいんだね！　わたしに乗《の》り移《うつ》れるなんて！」

「えっへん！　もっとほめてくれていいよ」

「ついでに、今みたいに乗《の》り移《うつ》って算数の授業《じゅぎょう》を受けてくれない……？」

「別にいいけど、なんで？」

「算数のテストがあるんだ。わたし、計算が苦手なの」

「こらっ、ズルはダメ～!!」

算数のテストはさんざんな結果だった。イチゴちゃんの顔は青ざめた。

「おっ、お母さんに怒《おこ》られる……！」

反対に碧人《あおと》くんは、百点満点だ。

「すげーな、碧人《あおと》！」

クラスメイトのみんなから尊敬《そんけい》のまなざしを浴びている。

へえー、碧人《あおと》くんは算数が得意《とくい》なのか……。

その時、ピンとひらめいた。

「ぼく、いいこと思いついたよ。イチゴちゃん、体かして！」

「え？　う、うん……何するの……？」

「いいから、ぼくにまかせて！」

ぼくは再《ふたた》びイチゴちゃんの体に入り、碧人《あおと》くんがひとりになったところを見計らって話しかけた。

「あのう碧人《あおと》くん、わたしに算数を教えてくれないかな……？」

「うん、もちろんいいよ」

「きゃっ、うれしい！」

「ええーっ⁉」

イチゴちゃん（ぼく）が碧人《あおと》くんに抱《だ》きつくと、まわりのみんなのおどろく声が教室中にこだました。

「ホタルのバカバカ～!!　もう明日から学校に行けないよー！」

自分の部屋のベッドで泣《な》き叫《さけ》ぶイチゴちゃん。

「イチゴちゃん、ゴメンね！　ぼく、日本人にハグの習慣《しゅうかん》がないって、本当に知らなかったんだ……」

心の底から謝《あやま》ってしょんぼりしていると、イチゴちゃんはムクッと起き上がった。

「……ううん、わたしのほうこそゴメン。そもそも、すぐに緊張《きんちょう》しちゃうわたしがいけないのに……」

ポロポロとこぼれる涙《なみだ》は、まるで真珠《しんじゅ》のようだ。

ぼくは急に胸《むね》が詰《つ》まって、イチゴちゃんの手を取った。

「ぼくは、そのまんまのイチゴちゃんが大好きだよ。イチゴちゃんはとってもすてきな女の子だ。もっと自信をもって！」

イチゴちゃんは、涙《なみだ》で濡《ぬ》れた目で、ぼくをジッと見つめた。

「ありがとう、ホタル……」

そうして、ぼくたちは仲直りをした。


その翌日《よくじつ》、イチゴちゃんは昨日《きのう》ぼくがしたことを碧人《あおと》くんに謝《あやま》った。

「きっ、昨日《きのう》は、抱《だ》きついたりして、ゴメンね……！」

「びっくりしたけど、イチゴちゃんから声をかけてくれてうれしかったよ」

「碧人《あおと》くん……」

なんだか、ふたりはとってもいい雰囲気《ふんいき》だ。

ジャマにならないように、その日ぼくはイチゴちゃんのそばから離《はな》れることにした。

しかし、イチゴちゃんは暗い顔で家に帰ってきた。

「ホタル、どうしよう。碧人《あおと》くん、もうすぐ引《ひ》っ越《こ》すんだって！　わたし、このまま碧《あお》人《と》くんと別れるなんて嫌《いや》……！　お願い、力を貸《か》して！」

話を聞くと、今週の土曜日、碧人《あおと》くんがお父さんの急な転勤《てんきん》で引《ひ》っ越《こ》すらしい。

告白《こくはく》するなら、もう明日しかない。

「わかった、最後の手段《しゅだん》にでよう」

ぼくは弓矢を取り出した。

「このキューピッドの矢に当たった人間は、最初に見た人を好きになるんだ」

「じゃあ、碧人《あおと》くんに矢が当たった時、わたしをいちばんに見れば、わたしを好きになってくれるんだね？」

イチゴちゃんの質問《しつもん》に、ぼくは深くうなずいた。

「ただ、これを使いこなすのは本当に難《むずか》しいんだ。それに……」

いや、この話はイチゴちゃんに関係ない。ぼくは途中《とちゅう》で言葉を濁《にご》した。

「ありがとう、ホタル。わたしのために」

イチゴちゃんはうれしそうに微笑《ほほえ》んだ。

「いいんだ、イチゴちゃんの笑顔《えがお》のためだもん」

今ぼくにできることすべてを、きみにささげるよ。けれど、本当にできるだろうか。

不安になったぼくは、神さまに祈《いの》ることにした。みんなが寝静《ねしず》まったころ、イチゴちゃんの部屋のテラスに出て、空に向かって話しかける。

「神さま、見習いは禁止《きんし》されている弓矢を使うことをお許《ゆる》しください。ルールを破《やぶ》った罰《ばつ》なら喜《よろこ》んで受けます。だけど、イチゴちゃんだけは……！　明日イチゴちゃんの恋《こい》が実るように力を貸《か》してください……！」

その時だった。

「ホタル！」

ぼくの背中《せなか》にぶつかるように、強く、後ろから抱《だ》きつかれた。

「わたし、まちがってた！　ホタルにルールを破《やぶ》らせたくない！　自分ひとりの力だけで告白《こくはく》するよ……！」

「イチゴちゃん！　今の聞いてたの……？　それに、ひとりで告白《こくはく》するなんて……。本当にだいじょうぶ？」

「ホタルが見ててくれるなら……そばで見守っていてくれる……？」

「もちろん！　ぼくはいつでもイチゴちゃんのそばにいるよ」

月の光に照らされながら、ぼくたちは固《かた》い約束を交わした。


次の日の放課後。

碧人《あおと》くんはみんなに囲《かこ》まれて最後のお別れをしていた。イチゴちゃんは彼《かれ》がひとりになるのを待つ。そして、ついに最後の子が帰っていった。

「イチゴちゃん、今だよ」

ぼくの合図で、イチゴちゃんは思いきって彼《かれ》に声をかける。

「あ、碧人《あおと》くん！　最後にお別れを言いたくて……」

その声がだんだん小さくなっていく。

「がんばれ、イチゴちゃん！」

その時、教室の開いている窓《まど》からカラスが入ってこようとしているのが見えた。

あっ！　今大事なところなのに！　イチゴちゃんのじゃまはさせないぞ！

「こらっ、あっちいけ！」

しっしっと手で払《はら》うと、カラスは怒《おこ》ってぼくを大きなくちばしで突《つ》いてきた！

「うわあ！」

あわてて窓《まど》から外に飛び出し、苦戦しながらなんとかカラスを追《お》い払《はら》う。

「どうだ、まいったか！」

ふう、これでもうだいじょうぶ。……そうだ、イチゴちゃんは!?

急いで教室に戻《もど》ってみると、イチゴちゃんがひとりでぽつんと立っている。

「ホタル、どこに行ってたの？　そばにいるって言ってたのに……」

胸《むね》がズキッとした。

「イチゴちゃん、ゴメン……。ひょっとして告白《こくはく》できなかったの……？」

「ううん、できなかったんじゃなくて、しなかったの。昨日《きのう》わかったの、わたしにとって本当に大切な人がだれか……」

イチゴちゃんはニコッと笑った。

「……それはホタルだよ。ホタルとは緊張《きんちょう》しないで話せるんだ。ダメなわたしをたくさん支《ささ》えてくれて元気をもらった。わたしのためにルールを破《やぶ》ろうとまでしてくれた……だ、だから……！」

真っ赤な顔の、一生懸命《いっしょうけんめい》なイチゴちゃんがとてもかわいかった。

「イチゴちゃん、ぼくも好きだよ……！」

たまらずぼくはイチゴちゃんをギュッと抱《だ》きしめる。

……あれ？　これって一応《いちおう》、人間の恋《こい》を叶《かな》えたことになるのかな？

どうやって神さまに報告《ほうこく》しよう。

頭を悩《なや》ませながら、ぼくは幸せをかみしめた。

episode - 12

遠回りな忘《わす》れ物《もの》

ふたつ上のお兄ちゃんの友だちの道樹《みちき》くんが我《わ》が家《や》によく遊びに来ていたのは、私《わたし》が小学六年生から中学一年生のころだった。

私《わたし》とお兄ちゃんの部屋は二階で隣同士《となりどうし》だから、音や声がよく聞こえてきた。ゲームをして大声を出したり、冗談《じょうだん》を言って爆笑《ばくしょう》したりと、道樹《みちき》くんが来た時はにぎやかだった。

たまに廊下《ろうか》や部屋の前で遭遇《そうぐう》することがあって「こんちはー」と声をかけられた。年上の男子だから、初めてあいさつを返した時は緊張《きんちょう》したことを覚えている。

けれど、何度も顔を合わせるうちに慣《な》れていき、すれちがいざま「こんちはー」に加えてたがいに微笑《ほほえ》み合うようになり、頭もポンとされるようになった。同じ部屋で遊ぶわけではないけれど、そんな些細《ささい》なことがうれしかった。

「ミチのやつ、また忘《わす》れてるし」

道樹《みちき》くんは、帽子《ぼうし》やマスク、ゲームソフトや傘《かさ》など、よく忘《わす》れ物《もの》をして帰った。お兄ちゃんは毎回呆《あき》れながらも、翌日《よくじつ》それを学校へ持っていって返す。私《わたし》はそれがおかしくて、いつも笑っていた。

「久《ひさ》しぶりだね、真奈佳《まなか》ちゃん」

高校生になったばかりの私《わたし》の家に、二年ぶりに道樹《みちき》くんが遊びに来た。別々《べつべつ》の高校に行ったお兄ちゃんとばったり会って話が盛《も》り上《あ》がり、うちに来る流れになったらしい。私《わたし》は道樹《みちき》くんと同じ高校に入ったけれど、棟《とう》がちがうから顔を合わせることがほとんどない。だから、こんなに間近で話すのは本当に久《ひさ》しぶりだ。

「身長伸《の》びたね。髪《かみ》も長くなってる」

以前よりも高い位置から、頭をポンとする大きな手。うちのお兄ちゃんよりも背《せ》が高くなっているし、声も口調も穏《おだ》やかだ。落ち着きがあって、大人《おとな》っぽい。

「み、道樹《みちき》くんのほうが何倍も育ってるし」

「育ってるって、何その言い方」

ハハッと吹《ふ》き出《だ》し私《わたし》の頭をなでる、ブレザー姿《すがた》の道樹《みちき》くん。微笑《ほほえ》む顔の笑いジワだけは変わっていなくて、胸《むね》の奥《おく》をぎゅっとつかまれたような感じがした。

道樹《みちき》くんの私《わたし》への態度《たいど》は相変わらず小学生相手のようだけれど、私《わたし》の気持ちは以前とまったくちがっていることに気づいた。ソワソワして居心地《いごこち》が悪いような、でも、もっと一緒《いっしょ》に話していたいような、いや、でもやっぱりドキドキして直視《ちょくし》できないような。

自分でも説明できない気持ちを持《も》て余《あま》し、その日の夜はずっと心がフワフワしていた。

その日をきっかけに、道樹《みちき》くんは放課後によく家に遊びに来るようになった。私《わたし》はバドミントン部に入ったから、部活が休みの時にだけ、たまに顔を合わせる。

「ドーナツ、駅前で買ってきた。どれがいい？」

「あ、いつもと髪型《かみがた》ちがう。似合《にあ》うじゃん」

頭ポンのあとにひとことふたこと交《か》わすようになり、私《わたし》の気持ちはどんどん膨《ふく》らんでいった。玄関《げんかん》が開いて「おじゃまします」って道樹《みちき》くんの声が聞こえたら、わざと偶然《ぐうぜん》をよそおって廊下《ろうか》へ出たり、キッチンに飲み物を取りに階段《かいだん》を下りたり。

「残念。今日は、おみやげないよ」

顔をくしゃっとして笑う道樹《みちき》くん。それを見て心を弾《はず》ませ、目に焼きつける私《わたし》。

私《わたし》は、道樹《みちき》くんのことが好きなんだ。その事実は、もう疑《うたが》いようがなかった。だって、そんな小さなやりとりが、楽しくてしかたなかったから。会話ひとつひとつをぜんぶ覚えているし、宝箱《たからばこ》に入れておきたいくらいなのだから。


「あ、真奈佳《まなか》、お願いがあるんだけど」

ある日の朝。お兄ちゃんから腕時計《うでどけい》を渡《わた》され、きょとんとしていると、

「ミチの忘《わす》れ物《もの》。悪いけど、同じ学校だし返しといてよ」

と頼《たの》まれた。道樹《みちき》くんの忘《わす》れ癖《ぐせ》は健在《けんざい》らしい。ちょっととまどったけれど「……わかった」とうなずき、腕時計《うでどけい》を見つめた。

三年生の教室まで来たのは初めてで、緊張《きんちょう》する。しかも道樹《みちき》くんに会うのだから、な

おさらだ。ないと困《こま》るかもしれないからと、朝のホームルーム前に急いで道樹《みちき》くんの教室まで来た。探《さが》していると、私《わたし》に気づいた道樹《みちき》くんが、すぐに廊下《ろうか》に出てきてくれる。

「ごめん、真奈佳《まなか》ちゃん」

道樹《みちき》くんは、いつものように私《わたし》の頭に手をのせ「ここまで来てくれて、ありがとね」と微笑《ほほえ》んだ。顔が熱い。私《わたし》はぶんぶんと首を横に振《ふ》り、真っ赤になる前に立ち去る。

渡《わた》り廊下《ろうか》を早歩きで戻《もど》る足が、羽のように軽い。心も浮《う》かれて、顔がゆるんでしまう。

こんなことはめったにないだろうけれど、まるでご褒美《ほうび》のようにうれしかった。

けれど、めったにないと思っていたことが、連続で起きた。一か月の間に、私《わたし》が部活でいない時に家に来た道樹《みちき》くんが、生徒手帳、財布《さいふ》と、立て続けに忘《わす》れて帰ったのだ。

そのたびに、翌日《よくじつ》道樹《みちき》くんの教室まで返しに行き、お礼の頭ポンをゲットする。

家でも高校でもなかなか会えなかったから、私《わたし》はそのたびにうれしくて舞《ま》い上《あ》がっていた。だから、まわりからどう思われているのかなんて、気づかなかったんだ。

「あのさー、もしかしてミッチーとつき合ってるの?」

それは、道樹《みちき》くんが忘《わす》れたハンドタオルを届《とど》けにいく途中《とちゅう》、渡《わた》り廊下《ろうか》でのできごとだった。たまたま通りかかった先輩《せんぱい》女子ふたりが、私《わたし》に尋《たず》ねてきたのだ。

「あなた一年でしょ? なのに、しょっちゅうミッチーに会いに三年の教室まで来てるじゃん? だから、つき合ってるのかなーって」

「いえ……それはちがって……」

私《わたし》は道樹《みちき》くんのハンドタオルをぎゅっと握《にぎ》りながら、お兄ちゃんや忘《わす》れ物《もの》のことを話す。すると、その人たちは「なんだ、そういうことね」と、拍子抜《ひょうしぬ》けしたように笑った。

「あ、それならさ、わざわざ届《とど》けるの面倒《めんどう》でしょ? 私《わたし》たちが届《とど》けてあげるよ」

「え……それは……」

「ミッチーって人気者なのよ。だからさ、彼女《かのじょ》だと勘違《かんちが》いされて、変なやっかみとかあったら嫌《いや》でしょ? それに、ミッチーにとっても迷惑《めいわく》かもしれないし」

先輩《せんぱい》のひとりが、私《わたし》の手からハンドタオルを奪《うば》った。そして、キャハハと笑い合いながら、三年の教室のほうへ戻《もど》っていった。

放課後、今日は部活が休みだったけれど、公園のベンチで時間をつぶしてから帰る。

あの先輩《せんぱい》たちに言われた言葉が耳から離《はな》れなかったからだ。

忘《わす》れ物《もの》を届《とど》けると道樹《みちき》くんは感謝《かんしゃ》してくれるけれど、たしかに周囲《しゅうい》に誤解《ごかい》を与《あた》えてしまっていたのかもしれない。私《わたし》なんかが彼女《かのじょ》だと思われたら、道樹《みちき》くんにとっては迷惑《めいわく》だろう。あの先輩《せんぱい》たちの言うことはごもっともで、何も言い返せなかった。

でも、忘《わす》れ物《もの》を届《とど》けるという道樹《みちき》くんとの大事な接点《せってん》……それがなくなるのは嫌《いや》だな。

さんざんため息をつきながら家《うち》に帰ると、玄関《げんかん》にお兄ちゃんが立っていた。

「おかえり。ついさっき、ミチが遊びに来てたんだけどさ、あいつがこれを……」

渡《わた》されたのは、茶色の封筒《ふうとう》に入った手紙だった。表に、『真奈佳《まなか》ちゃんへ』と書かれている。私宛《わたしあ》て？　首をかしげながら、便箋《びんせん》を開く。

『最近の忘《わす》れ物《もの》は、ぜんぶわざとだったんだ。ごめん』

……わざと？　どういうこと……？

短い文面から視線《しせん》を上げると、なぜかお兄ちゃんが意味深《いみしん》に笑った。

「それ、最後の忘《わす》れ物《もの》だって。今追いかければ、間に合うんじゃない？」

家を飛び出し、走って道樹《みちき》くんの家路をたどると、住宅街《じゅうたくがい》を歩いている道樹《みちき》くんが見えた。私《わたし》の姿《すがた》と、手に持った手紙に気づき、ふわりと微笑《ほほえ》む。道樹《みちき》くんの目の前で止まった私《わたし》は、息を整えながらおそるおそる尋《たず》ねた。

「わざとって……どういう意味？」

すると、道樹《みちき》くんは少しバツの悪そうな顔をして「ごめん」と頭を下げる。

「俺《おれ》さ、真奈佳《まなか》ちゃんと会う機会をつくりたくて、わざと忘《わす》れ物《もの》をして届《とど》けてもらってたんだ。でも、今日うちのクラスの女子から、届《とど》けるのが面倒《めんどう》そうだったからタオルを預《あず》かった、って言われて。たしかに俺《おれ》、自分勝手だったなって反省して……」

面倒《めんどう》だなんて一度も思ったことはない。むしろ、会えるのが楽しみだった。あの先輩《せんぱい》ふたりのどちらかは、もしかしたら道樹《みちき》くんのことが好きだったのかな。道樹《みちき》くんが私《わたし》と話しているところを見たくなかったから、そう言ったのかもしれない。

「俺《おれ》、真奈佳《まなか》ちゃんのこと、好きだったんだ。でも、もう、こんな幼稚《ようち》なことしない。振《ふ》りまわしちゃって、本当にごめん」

道樹《みちき》くんは眉《まゆ》を下げながらそう言って、この場を去ろうとする。

「わ、私《わたし》も好き！　ずっと好きでした」

その瞬間《しゅんかん》、思わず叫《さけ》んでいた。振《ふ》り向《む》いた道樹《みちき》くんは、ハトが豆鉄砲《まめでっぽう》を食らったような顔だ。

「だ、だから、忘《わす》れ物《もの》、もっといっぱいしてください！　届《とど》けるから！　私《わたし》が」

思いきって言ったあとで、目頭《めがしら》が熱くなって涙《なみだ》がにじんだ。心臓《しんぞう》の音もけたたましくて、息が苦しい。自分がこんなふうに大声で告白《こくはく》できるなんて、知らなかった。

私《わたし》の前まで戻《もど》ってきた道樹《みちき》くんが、頭にポンと手を置いた。いつもと同じ手の大きさと温度に、ふっと心がほどける。

「ハハ、なにそれ。かわいい」

道樹《みちき》くんが、くしゃっと笑ってそう言った。私《わたし》の大好きな、あの満面の笑顔《えがお》で。

♥episode - 13

超能力者《ちょうのうりょくしゃ》は秘密《ひみつ》が多い

空井《そらい》くんが超能力者《ちょうのうりょくしゃ》ならいいのに。

今年の春に転入してきた空井《そらい》くんは、とても無口だ。クラスのだれとも仲良くならず、いつもひとりで険《けわ》しい顔をしている。話しかけても素《そ》っ気《け》なくて、休み時間はいつもどこかに行ってしまい、姿《すがた》が見えなくなる。

はじめはみんな、彼《かれ》に興味津々《きょうみしんしん》で話しかけていた。けれど、彼《かれ》のあまりの無愛想《ぶあいそ》ぶりに、今は必要な時しか彼《かれ》と言葉を交《か》わさなくなった。

彼《かれ》はきっと、宇宙《うちゅう》のどこかの星の人で、特別な任務《にんむ》のために地球に来ていて、だからみんなとちょっとちがう雰囲気《ふんいき》があるのではないか。休み時間に姿《すがた》を消すのもきっとそのためだ。

というような話を友だちにしたら、心《こころ》は妄想癖《もうそうへき》がある、想像力豊《そうぞうりょくゆた》か、中学二年になったんだからそろそろそういうの卒業しないと、と笑われたので、場の空気のために私《わたし》は笑って誤魔化《ごまか》した。

でも、やっぱり私《わたし》は空井《そらい》くんが超能力者《ちょうのうりょくしゃ》ならいいのに、と思う。

だって、彼《かれ》には秘密《ひみつ》があるから。私《わたし》はそれを、知っている。

なので、証拠《しょうこ》をつかもうと思い、昼休みにこっそり彼《かれ》のあとをつけてきた。

彼《かれ》が向かった先は人気《ひとけ》のない中庭で、それでもだれかに見つかることが不安なのか、ぐんぐんと奥《おく》に進んでいく。そしてだれも通らないであろう、木々《きぎ》のかげで足を止めた。

いったい何をするつもりなのか。ドキドキしながら木に隠《かく》れて彼《かれ》の様子を観察する。

そこで彼《かれ》は、あたりを見回して――浮《う》いた。

「……っ！」

おどろきのあまり声が出そうになり、口を手で押《お》さえたけれど、彼《かれ》に気づかれてしまった。勢《いきお》いよく振《ふ》り返《かえ》った空井《そらい》くんは、私《わたし》の姿《すがた》を見つけるとあわてて地上に降《お》りる。

私《わたし》が口元を隠《かく》したまま目を見開いて震《ふる》えているからか、彼《かれ》の顔色が悪くなった。

「なんで……こんなところに」

知られてはいけないことがバレてしまい、あせっている。彼《かれ》の声は教室で聞いたことのあるものよりも、ずっとあたたかみのある〝私《わたし》の知っている〟彼《かれ》の声だった。

「あの、このことは、だれにも言わないでほしいんだけど……」

ちがう、そうではない。

彼《かれ》は本当に、超能力者《ちょうのうりょくしゃ》だった。特別な人だった。そうだったらいいのに、と思っていた。けれど、まさか、本当に超能力者《ちょうのうりょくしゃ》だったなんて。信じられない。

「――空井《そらい》くん、私《わたし》とつき合ってください！」

「なんで⁉」

空井《そらい》くんの目があまりのおどろきによってまん丸になった。

「好きだから！」

「いや、無理だし。つき合うとか無理」

「そこをなんとか！」

「なんとかなんねえよ」

「お願い！　つき合って！　大丈夫《だいじょうぶ》！」

「いや、大丈夫《だいじょうぶ》の意味がわかんねえよ！」

その後、三十分ほど粘《ねば》った結果、彼《かれ》があきらめてうなずいてくれたことにより、私《わたし》と空井《そらい》くんはめでたく恋人同士《こいびとどうし》になった。


というのが、今から一年前の私《わたし》と空井《そらい》くんのなれそめだ。

「空井《そらい》くーん、一緒《いっしょ》に帰ろ」

「いやだ」

中学三年生になり私《わたし》と空井《そらい》くんはクラスが別れてしまったので、授業《じゅぎょう》が終わったら彼《かれ》の教室に迎《むか》えに行くのが私《わたし》の日課だ。空井《そらい》くんは私《わたし》を見て顔をしかめ即答《そくとう》する。

けど、問題ない。

「もう、空井《そらい》くんってば、はずかしがり屋だなあ」

「なんで心《こころ》はそんなにポジティブなんだよ……」

にこにこしながらしぶい顔をする空井《そらい》くんの席に近づく。よそのクラスの私《わたし》が教室に入っても、空井《そらい》くんのクラスメイトはいつものことなので気にしない。

「今日は帰りに一緒《いっしょ》にアイス食べよ。夏はアイスだよね」

「買い食いは禁止《きんし》されてるだろ」

「じゃあ空井《そらい》くんの家で食べよう！　私《わたし》の家でもいいよ」

「……心《こころ》の家なら」

しかたないな、とブツブツ言いながら空井《そらい》くんは立ち上がった。彼《かれ》の腕《うで》にぎゅうっとしがみつくと、「暑い」と眉間《みけん》にしわを寄《よ》せられる。でも、振《ふ》り払《はら》ったりはしない。

「空井《そらい》くんは優《やさ》しいねえ。好き」

「なんでそうなるんだよ。あと、そういうことを堂々《どうどう》と口にするな……！」

「空井《そらい》くんも私《わたし》のこと好きって言っていいのに」

「言わねえよ」

これ以上からかうと怒《おこ》られそうだから、へへへと笑った。

空井《そらい》くんとつき合って一年になるけれど、空井《そらい》くんの態度《たいど》は変わらない。素《そ》っ気《け》なくて口が悪くて、無愛想《ぶあいそ》だ。友だちには「なんで空井《そらい》くんとつき合ってるの？」「どこがいいの？」「彼女《かのじょ》への態度《たいど》が冷たすぎるよ」と毎日のように言われている。「空井《そらい》くんって本当に心《こころ》のこと好きなの？」なんて言われたこともある。

校門を出て家までの道のりを歩きながらじっと隣《となり》の空井《そらい》くんを見つめていると、「よそ見してるとこけるぞ」と言われた。

「空井《そらい》くんは優《やさ》しいよねえ」

「そんなこと言うの心《こころ》だけだ」

空井《そらい》くんほど優《やさ》しい人はいないと思うんだけどなあ。

私《わたし》とつき合ったのも、私《わたし》がしつこくて、一度つき合ったらすぐに満足するだろうとしぶしぶ受け入れただけだと知っている。空井《そらい》くんはけっこう押《お》しに弱い。

でも、一年たっても彼氏《かれし》でいてくれている。

もちろん、別れたいと言われても、そんなの無理だけど。

「ねえねえ、空井《そらい》くん。空飛ぶところ見たいなあ」

「やだ」

空井《そらい》くんが浮《う》いている姿《すがた》は、この一年間で三回しか見たことがない。

一回目は去年の中庭。人目《ひとめ》を避《さ》けてあの場所で過《す》ごしていた時に、巣から落ちた雛《ひな》を助けたらしく、それから心配で様子を確認《かくにん》していたらしい。

二回目は、頼《たの》みこんで私《わたし》の部屋でちょっとだけ浮《う》くところを見せてもらった。三回目は私《わたし》の家の猫《ねこ》がカーテンをよじ登って降《お》りられなくなった時に、助けてくれた。

でも、ふだんはぜったい、私《わたし》にその不思議《ふしぎ》な力を見せてくれない。

「自分が浮《う》く以外にもいろいろできる？」

「教えない」

どんな能力があるのかくらい教えてくれてもいいのになあ。

「何か任務《にんむ》とかあるんでしょ」

「何言ってんの？」

この質問《しつもん》にはいつもはっきり答えてくれるのに。さすがに私《わたし》だって、もうそんなことを信じているわけじゃないけれど。

ちぇーっとすねたように唇《くちびる》を尖《とが》らせていると、突然《とつぜん》隣《となり》の空井《そらい》くんが足を止めて、私《わたし》の手をつかみくるりと場所移動《いどう》をする。

彼《かれ》の左側にいたはずなのに、いつの間にか私《わたし》は右側になっていた。

「どうしたの？」

「……なんでもない」

そっぽを向いて空井《そらい》くんが答える。さっきまで日陰《ひかげ》の下にいたけれど、今の空井《そらい》くんは太陽の光を浴びている状態《じょうたい》だ。

へにゃりと頬《ほお》がゆるんで、空井《そらい》くんの手を取った。

「何すんだよ、暑いだろ」

「いいじゃん。恋人同士《こいびとどうし》なんだから手をつないで帰ろうよ」

「意味わかんねえ。汗《あせ》でベトベトするからいやだ」

空井《そらい》くんには秘密《ひみつ》が多い。超能力《ちょうのうりょく》についても、自分の気持ちも、彼《かれ》はほとんど口にしない秘密主義者《ひみつしゅぎしゃ》だ。だからきっと、私《わたし》と空井《そらい》くんの関係も、まわりからは私《わたし》がつきまとっているだけに見えるだろう。

——でもね。

(今、オレの手汗《てあせ》がすごいのに！　こんなの心《こころ》に嫌《きら》われる！)

脳裏《のうり》に聞こえてきた空井《そらい》くんの声に、気にしないのに、と声に出さずに返事をした。

実はね、私《わたし》も超能力者《ちょうのうりょくしゃ》なんだ、空井《そらい》くん。

(心《こころ》はオレの超能力《ちょうのうりょく》に興味《きょうみ》があるだけだから、浮《う》かれるな)

(超能力《ちょうのうりょく》じゃなくてオレを知ってほしい)

(オレの家にも来てほしいけど、心《こころ》に遠回りさせちゃうからな)

(なんでオレは今まで心《こころ》に日向《ひなた》を歩かせていたのに気づかなかったんだ)

私《わたし》は、人の心の声を聞くことができる。

だから、どれだけ空井《そらい》くんが秘密《ひみつ》にしていても、口にしてくれなくても、私《わたし》は彼《かれ》の優《やさ》しさを知っている。空井《そらい》くんが転入した時から何か秘密《ひみつ》があるのも、何かを救《すく》うために中庭に行っていたのも、人とうまく接《せっ》することができなくて悩《なや》んでいたのも。

ずっと、自分以外にも特別な力がある人に出会いたかった。

それが、優《やさ》しい空井《そらい》くんだったらいいのになって、思っていた。

私《わたし》は、超能力《ちょうのうりょく》があるのを知る前から、空井《そらい》くんのことが好きだった。

そして、私《わたし》の告白《こくはく》を断《ことわ》りきれずつき合ってくれるくらい、優《やさ》しい空井《そらい》くんのことを、私《わたし》はもっと好きになった。つき合ってからは、もっともっと好きになった。

「空井《そらい》くん、私《わたし》のこと好き？」

空井《そらい》くんは「何言ってんの」とぷいっとそっぽを向いてしまった。けれど。

（好きだよ！）

大きな彼《かれ》の心の声が、私《わたし》にははっきり聞こえてくる。

♥ episode - 14

夏の終わりの蝉時雨《せみしぐれ》

その年の夏、わたしはひとりぼっちだった。

「はーい！　Ｅ班《はん》とＦ班《はん》の班長《はんちょう》さんはこっちにみんなを集めてくださーい！」

先生の号令を聞いて、当時六年生のわたしは森の中の広場を走りまわった。

「ほら、ヒナちゃん、みんなのところに行こう？　ヨウタくん、遊ぶのはまたあとでね。集合だよ？　あっ、そっちに行っちゃだめだってば！」

言うことをきかない下級生たちに振《ふ》りまわされて、キャンプの初日からへとへとだったことを覚えている。

わたし、浦川由宇《うらかわゆう》は、通っている塾《じゅく》が催《もよお》しているサマーキャンプに参加したのだ。三年生から六年生までの参加者が二泊三日《にはくみっか》、森の中のロッジで寝泊《ねと》まりするというもので、いろいろな学校の児童が集まっていた。

「浦川《うらかわ》さん、もっと声を大きくね！　元気な下級生たちに負けないで！」

「はい、先生……。ハァ……ハァ……」

その塾《じゅく》は、勉強漬《べんきょうづ》けの学習塾《がくしゅうじゅく》ではなく、学校の勉強についていけなくなった子や、クラスになじめなくなった子などが通う、学校生活のトレーニングのための塾《じゅく》だった。わたしが通っている理由は、その後者のほうだ。

六年生になった時に、それまでの友だちがだれも同じクラスにいなかったことで周囲《しゅうい》との会話が減《へ》り、ひとりでいる時間が多くなった。もともと人見知りだし、ひとりが苦《く》痛《つう》とも思わなかったけれど、クラスで孤立《こりつ》しているのではないかと心配した担任《たんにん》の先生が、親にこの塾《じゅく》を紹介《しょうかい》したらしい。大勢《おおぜい》の知らない子と会うのは気が進まなかったが、夏休みの間だけでも、と強くすすめてくる親に、わたしもしぶしぶ折れたのだ。

ずっと消極的な『ぼっち』だと思われたら新学期になってもここに通わされてしまうかもしれない。積極性《せっきょくせい》があることをアピールしようと、キャンプの班分《はんわ》けでＦ班《はん》の班長《はんちょう》に立候補《りっこうほ》したのだが、こういう趣旨《しゅし》の塾《じゅく》だからか、塾生《じゅくせい》にはやんちゃな子や極端《きょくたん》に無口な子が多い。副班長《ふくはんちょう》をしてくれている同じ六年生の修斗《しゅうと》くんはうまく下級生たちをまとめているけど、わたしはうまくできなかった。

「由宇《ゆう》さん、こっちの薪運《まきはこ》びはオレたちでやっておくから、由宇《ゆう》さんはヒナちゃんと食材を洗《あら》ってきてくれない？」

「あ、修斗《しゅうと》くん。うん、わかった。ありがとう」

修斗《しゅうと》くんが班員《はんいん》六人のうち、やんちゃな四年生の男の子三人を引き受けてくれたのは、わたしへのフォローだろう。三年生のヒナちゃんはとても無口で会話が難《むずか》しいけれど、ふたりきりならわたしでもなんとかなる。

先生から渡《わた》された夕食の材料を共同の炊事場《すいじば》で洗《あら》いながら、わたしはため息をついた。

（うまくいかないなあ……。修斗《しゅうと》くんに迷惑《めいわく》かけてばっかり……）

修斗《しゅうと》くんは別の学校の子だ。友だちにつき合って夏休み期間中だけこの塾《じゅく》に通っているそうで、成績《せいせき》は悪くないらしい。ふだんの彼《かれ》の性格《せいかく》は知らないが、けっこうしっかり者だということはすぐにわかった。クラスでも背《せ》が高いほうのわたしよりさらに長身で、パッと見ると中学生くらいに見える。落ち着いていて、大人《おとな》っぽくて、下級生をまとめるリーダーシップもあり、いい意味で目立つ男の子だった。

逆《ぎゃく》にわたしは、学校でもそうだが、塾《じゅく》でも特に目立ってはいなかった。夏休みに入ってすぐに通いはじめたにも関《かか》わらず、友だちらしい友だちもできていない。これでも勉強は得意《とくい》で、特に国語では、書いた詩を先生にほめられて塾《じゅく》の廊下《ろうか》にお手本として貼《は》り出《だ》されたこともあったのだが、だれの目にもとまっていなかったようだ。

その詩の内容《ないよう》は、雨の音が楽器の音のように聴《き》こえて心地よい、というような内容《ないよう》だった。そう、わたしは、晴れの日よりも雨の日が好きなのだ。ましてやこのキャンプのように、夏の快晴《かいせい》の日が続く中にいると、暑さとまぶしさでげんなりしてしまう。

「どう？　由宇《ゆう》さん、ヒナちゃん。手伝《てつだ》いにきたんだけど」

「うん、いま終わったところ」

迎《むか》えに来てくれた修斗《しゅうと》くんと一緒《いっしょ》に、洗《あら》った食材を調理室へと運ぶ。ヒナちゃんが修《しゅう》斗《と》くんと手をつなぎたがったから、修斗《しゅうと》くんとわたしで食材の入ったかごの取っ手を片《かた》ほうずつ持って、並《なら》んで歩いた。

「ふぅ。夕方になってやっと涼《すず》しくなったなあ。でも先生が言ってたけど、今年は暑くなるのが遅《おそ》くて、明日からが本格的《ほんかくてき》な猛暑《もうしょ》らしいよ」

「え！　ホントに？　……イヤだなあ。わたし、暑いの苦手」

「だね。もう八月も後半なのにね。オレも暑いの苦手なんだ。同じだね」

と、困《こま》ったように笑っている。修斗《しゅうと》くんもわたしと同じ気持ちなんだと思って、少しうれしかった。

(修斗《しゅうと》くんと……もっと話ができたらなあ……)

できれば、ふたりだけで話してみたかった。彼《かれ》のことをもっと知りたい。もっと気が合うところが見つかるかもしれないし、見つけたい。他人に対してそんなふうに興味《きょうみ》をもったのは、初めてだった。そんなことを言ったら、きっと迷惑《めいわく》だろうけれど。

翌日《よくじつ》は修斗《しゅうと》くんの言う通り猛暑《もうしょ》で、川遊びや自然体験の間も下級生に振《ふ》りまわされて、ますますぐったりしてしまった。

さらに熱帯夜を耐《た》えて迎《むか》えた最終日も、気温は変わらなかった。

最後の行事として、午前中にフィールドワークがあった。ようするに山道の散歩だ。

急に気温が上がったことで、蝉《せみ》がいっせいに羽化《うか》して成虫になったのか、朝からうるさいくらい鳴き声が響《ひび》いていた。

「それじゃあF班《はん》、出発してくださーい！　最後の班《はん》だから、みんな遅《おく》れないように班《はん》長《ちょう》さんが気をつけてあげてね」

「は、はい……！」

先生に言われて、気を引きしめる。疲《つか》れてボーッとしていたのがバレていたのかもしれないと思った。

森の中の道はそれなりに広くて、そんなにでこぼこもしていない土の道だった。歩きやすくて助かったが、そのぶん下級生の男の子たちは自由気ままに走りまわる。

「ほら、危《あぶ》ないからそっちに行っちゃだめ！　お願い、ちゃんと歩いて！」

修斗《しゅうと》くんが先頭でヒナちゃんの手を引いているので、わたしはいちばん後ろで男の子たちを見守る役になった。

ひどく暑い中でずっと大声を出していると、なんだか頭が重く感じられてきた。足も思うように動いてくれていないような気がする。直射日光《ちょくしゃにっこう》が麦《むぎ》わら帽子《ぼうし》を突《つ》き抜《ぬ》けてくるようだった。

そんな状態《じょうたい》だったからか、風に帽子《ぼうし》を飛ばされて、それをあわてて拾おうとしたわたしは足をひねって転んでしまった。

「イタッ……！　ちょ、ちょっと待って！」

しかし、大きな蝉《せみ》の声にかき消されているのか、前を行く子たちはだれも気づいてくれない。そして、足の痛《いた》みに気をとられているうちに、置いていかれてしまった。

「どうしよう……最後の班《はん》だから後ろからはだれも来ないよね……」

とにかくここで倒《たお》れたままでは熱中症《ねっちゅうしょう》になってしまう。なんとか足を引きずって、道の脇《わき》の木かげに座《すわ》りこんだ。

もう立ち上がる気力もない。体育座《たいいくずわ》りの格好《かっこう》で、大きくため息をつく。

「結局こうなんだよね、わたしって……」

キャンプとか、班長《はんちょう》とか、ちっとも向いていない。やる気を出しても、空《から》まわりしてうまくいかない。大変なことになっても、だれからも気づいてもらえない。廊下《ろうか》に貼《は》り出《だ》された詩と同じ。だれの目にもとまらず、日かげでうずくまっている。

ミーンミーンと、蝉《せみ》の大合唱は鳴りやまない。明るい日向《ひなた》を見ているのも嫌《いや》になって、立てた膝《ひざ》に顔をうずめた。

ひとりぼっちの気分だった。ひとりは平気なはずなのに、ひどくさびしかった。

（わたしってだめだな……。どうせ何をやっても……）

「見つけた！」

不意にかけられた声に、顔を上げた。

そこには、しゃがみこんでわたしを見つめる修斗《しゅうと》くんがいた。帽子《ぼうし》でかげになっているが、ホッとしているような表情《ひょうじょう》だ。

「よかった。なかなか来ないから、オレだけ探《さが》しにきたんだ。ほら、水」

その優《やさ》しい声と、差し出されたペットボトルを見て、わたしはパニックになってしまった。また迷惑《めいわく》をかけてしまった。自分はどうしてこんなにだめなんだろう。とにかく申しわけなくて、修斗《しゅうと》くんに何度も謝《あやま》っていた。こんなことだから学校でも友だちができなくて、キャンプもつらいんだ。と、関係ないことまで口走ってしまった。

修斗《しゅうと》くんはそれらを静かに聞いてから、しゃがんだまま背中《せなか》を向けてきた。

「乗りなよ。歩けないだろ？」

ゆっくり揺《ゆ》れる背中《せなか》の上で、そういえば背《せ》の高いわたしはもう何年もこうやってだれかにおぶってもらったことがなかったと気づいた。

修斗《しゅうと》くんの背中《せなか》はなぜだかとても安心できて、さっきまでうるさかった蝉《せみ》の声も心地よく聞こえた。

「ねえ、由宇《ゆう》さん。『蝉時雨《せみしぐれ》』っていう言葉、知ってる？」

歩きながら、修斗《しゅうと》くんが言った。

「時雨《しぐれ》って、雨のことなんだ。こんなふうに蝉《せみ》がたくさん鳴いていることを、昔の人は雨の音みたいに聞こえてたらしくて、それでこういうのを蝉時雨《せみしぐれ》っていうんだって」

「へえ～。昔の人っておもしろいこと考えるね」

「だろ？　おもしろいよね。オレ、感心しちゃったよ。蝉《せみ》の声が雨みたいに聞こえるとか、それから、雨の音が楽器みたいに聞こえるとかもさ」

「え……？」

「あの詩、読んだよ。おもしろかった。こんなこと考える人って、きっとすてきな人なんだろうなって思ってさ。前から話してみたかったんだ」

「あれを……見てくれたの……？」

それ以上何も言えないでいるわたしのほうへ、修斗《しゅうと》くんは首だけで少し振《ふ》り向《む》いて、大人《おとな》っぽく笑った。

「思った通りの人だったよ。思った通り、がんばり屋で、自分のこともまわりのこともよく見て考えてるような、すてきな人だった」

蝉時雨《せみしぐれ》。お願いだから、鳴りやまないでほしい。

わたしが泣く声が、修斗《しゅうと》くんの耳に届《とど》いてしまわないように。

わたしのことを見てくれていた人を、これ以上困《こま》らせることのないように。

広い背中《せなか》に顔をうずめながら、いつまでもそう願っていた。

わたしが修斗《しゅうと》くんと会えたのは、その日が最後だった。修斗《しゅうと》くんは、家庭の急な都合で新学期を待たずに塾《じゅく》をやめたのだ。

だれかに背負《せお》ってもらったのも、その日が最後だった。

あれからわたしは、蝉《せみ》の声を聞くたびに思い出す。だれかの背中《せなか》に揺《ゆ》られる心地よさと、淡《あわ》い恋心《こいごころ》を。

♥ episode - 15

ぼくらの境界線《きょうかいせん》

アルバイト先のコーヒーショップにやってきて、必ずホットカフェラテを注文する男の子がいる。出会いは十二月のクリスマス前。時間はいつも夕方。私服《しふく》がとてもオシャレで、私《わたし》と目が合うと彼《かれ》はいつもはにかんだ。

大学三年の冬休み、ほぼ毎日シフトを入れていてよかったと思った。

年末年始で会えなくなるのだとわかった時、さびしさで胸《むね》がいっぱいになった。

そして、これは恋《こい》かもしれない、と思った。

たった一週間で自分がだれかを好きになるなんて信じられない。

けれど、年明けのアルバイトで彼《かれ》が店にやってきた時に胸《むね》がぎゅうっとしめつけられて、やっぱりこれはまちがいなく恋《こい》なのだと思った。

私《わたし》は、大学生活にあこがれていた。高校生とはちがって、自由で楽しくて、何よりもすてきな彼氏《かれし》と過《す》ごすキャンパスライフを夢《ゆめ》見ていた。けれど、ときめきひとつないまま三年目が終わろうとしている。だれかを好きになることもだれかに好意を抱《いだ》かれることもなく、社会人になってしまうのだろうかと思っていた。

なのに、バイト先でこんな出会いがあるとは。

おまけにまさか。

「好きです。オレと、つき合ってくれませんか」

そんな彼《かれ》に告白《こくはく》されるとは、夢《ゆめ》にも思っていなかった。

バイト終わりに外に出ると、二時間ほど前に店にやってきて、一時間ほど前に店を出た彼《かれ》が、私《わたし》の目の前にいて、私《わたし》を見るなり頭を下げてそう言った。

「本気なんで、考えてもらえませんか。返事は今じゃなくてもいいので」

顔を真っ赤にして真剣《しんけん》な目を向ける彼《かれ》に、言葉を失う。すぐさま〝私《わたし》も好きでした〟と言いたいのに、信じられない気持ちのほうが大きくて、おろおろするしかできない。

そんな私《わたし》を置いて、彼《かれ》は「じゃあまた！」と言って背《せ》を向けて走っていった。

『なんですぐ返事しなかったのよー』

次の日のバイト前、更衣室《こういしつ》で時間までのんびりしているとスマートフォンに智香《ともか》から

のメッセージが届《とど》いた。冷静になった今朝《けさ》、智香《ともか》に告白《こくはく》のことを報告《ほうこく》したのだ。

『パニックになったんだよー』と泣き顔のスタンプとともに返信をして、すぐに、

『でも大丈夫《だいじょうぶ》！　今日もこれからバイトだから、彼《かれ》が店に来たらちゃんと返事する！』

とメッセージを追加で送信する。

『頑張《がんば》れ。にしてもおたがい名前も年も知らないまま好きになるなんてドラマみたい』

『店員と客じゃ、知るタイミングがないんだもん』

『好きとはいえいきなりつき合うって、ちょっと不安になったりしないの？』

たしかに、私《わたし》は彼《かれ》の性格《せいかく》も趣味《しゅみ》も何も知らない。ただ、カフェラテが好きで笑顔《えがお》がか

わいい、というだけだ。でも不思議《ふしぎ》と、知らないことに対しての不安はなかった。

だって、好きなんだもの。何も知らなくてもこんなに好きなのだから大丈夫《だいじょうぶ》だ。

『これから知っていけばいいだけ』

『どうする年下だったら。年下苦手じゃなかったっけ？』

『うん、だからできたら年上がいいけど……ひとつくらいの差なら大丈夫《だいじょうぶ》かな』

見た感じではおそらく同い年か年上だろう。もちろん年下の場合もあるけれど、せいぜい大学一年の二歳《さい》年下だ。十代になるので気にならないわけではないが、その時は受け入れるしかない。だって、好きだから。

とにかくつき合って、そしてこれから知っていけばいい。年も、趣味《しゅみ》も、好きなもの嫌《きら》いなものを。おたがい一緒《いっしょ》に知っていくんだと思うと、期待で胸《むね》が膨《ふく》らむ。

今日返事をしたら、明日から私《わたし》と彼《かれ》は、恋人同士《こいびとどうし》になるんだ。

ふふっとつい声が漏《も》れてしまい、いかんいかんと気を引《ひ》き締《し》めた。

そして、運命の夕方、彼《かれ》は店にやってきた。

私《わたし》を見るとはずかしそうに目を泳がせ、すぐにはにかむ。私《わたし》の好きな彼《かれ》の笑顔《えがお》に胸《むね》がきゅうっと締《し》めつけられる。

けれど、同時に彼《かれ》の姿《すがた》に頭が真っ白になった。

彼《かれ》は、いつも私服《しふく》だった。けれど今、私《わたし》の目に映《うつ》る彼《かれ》は――制服姿《せいふくすがた》だ。

「こ、高校生、だったんですか？」

初めてレジで彼《かれ》に話しかける。

「え？　ああ、はい。高校三年です。オレの学校三年の三学期は自由登校で、オレは受験も終わったからほとんど学校に行ってなかったんですけど。今日は友だちがみんな出席するって言うから久々《ひさびさ》に」

彼《かれ》は頬《ほお》をほんのりピンクに染《そ》めながら話す。今までは書店バイトの帰りに寄《よ》ってたんですけどね、と話し続ける彼《かれ》に、私《わたし》は茫然《ぼうぜん》とするしかできなかった。

黒い学ランにモッズコートを羽織《はお》っている彼《かれ》は、紛《まご》うことなき高校生だ。

年下なのはともかく、二十一歳《さい》と高校生はさすがに……だめでしょ！

「つき合うことはできません、ごめんなさい」

私《わたし》も好きです、と答えるために彼《かれ》にバイトの上がり時刻《じこく》を伝える予定だった。それが断《ことわ》ることになるとは。そんなことを考えながら待っていてくれた彼《かれ》に頭を下げる。

「……なんでですか？」

彼《かれ》の声は、今まで聞いたことがないほど低く重かった。

そろそろと視線《しせん》を上げて彼《かれ》の顔を見ると、不満そうに少しだけ口を尖《とが》らせている。

「その、高校生だと思ってなかったの。私服《しふく》だったからてっきり大学生だと……」

「高校生じゃなんでだめなんですか」

私《わたし》の言葉にかぶせる勢《いきお》いで問われた。いや、そりゃだめだろう。

「二十一歳《さい》の私《わたし》が高校生とつき合うとか、おかしいでしょ」

「高校生じゃなかったら、つき合ってくれたんですか」

思わず、言葉に詰《つ》まる。

高校生じゃなかったら——私《わたし》は彼《かれ》の気持ちにこたえていた。

私《わたし》は彼《かれ》のことが好きだった。告白《こくはく》されてうれしかった。つき合えるのだとこれからの日々《ひび》に期待に胸《むね》を一杯《いっぱい》にしていた。

そして今、彼《かれ》が高校生だと知ってダメージを受けるくらいには。

言いよどむ私《わたし》に、彼《かれ》は言葉を続ける。

「高校生だからだめなんて、納得《なっとく》できないです」

「そう言われても……」

「もう卒業しますよ、オレ。来月には、高校生じゃなくなります」

「たしかに。いやでも」

「何か問題あります？」

「いや、その、えっと」

ずいと彼《かれ》の顔が近づいてきて、ぎゅっと目をつむる。好きな人の顔が至近距離《しきんきょり》にあるのに落ち着いてなんかいられない。ああ、もう、私《わたし》はやっぱり彼《かれ》が好きなんだ。

——でも、どうしても踏《ふ》みこめない。

数か月だけのものだとしても、高校生と大学生には大きなちがいが、壁《かべ》が、ある。

今の私《わたし》には、今の彼《かれ》に、自分の気持ちを伝えることも、彼《かれ》の気持ちを受け取ることも、できない。かといって食い下がる彼《かれ》に対してうれしく思う気持ちもあって。

どうしたらいいのかわからない！　何を言えばいいのかわからない！

「……わかりました」

黙《だま》っていると、彼《かれ》ははあっとため息をついて私《わたし》から一歩離《はな》れた。

私《わたし》の態度《たいど》にうんざりしたのだろう。呆《あき》れているのだろう。そう思うと胸《むね》がチクリと痛《いた》んで、歯を食いしばる。

「じゃあ、一か月後、卒業したらもう一度告白《こくはく》させてください」

思いも寄《よ》らない言葉が聞こえてきて、弾《はじ》かれたように顔を上げた。

今は無理。でも、一か月後なら？

「その時には、うなずいてもらいますから」

そう言った時の大人《おとな》っぽい彼《かれ》の笑顔《えがお》に、心臓《しんぞう》が爆発《ばくはつ》するんじゃないかと思った。

♥episode - 16

初恋《はつこい》は会いたがり

帰りの会が終わり、教室を出ていこうとした時。

「あっ、実和《みわ》ちゃん！」

クラスメイトの女の子たちが数人、バタバタあわただしくやってきた。

「ん？　なあに？　なんかあった？」

不思議《ふしぎ》に思って聞き返すと。

「あの桔平《きっぺい》くんとつき合ってるってホント⁉」

いきなりの話の展開《てんかい》にビックリしてしまった。

彼女《かのじょ》たちが言う「あの桔平《きっぺい》くん」とは、隣《となり》のクラスの矢島《やじま》桔平《きっぺい》のことだ。

小学生のころから足が速かった彼《かれ》は、中学生の今では四〇〇メートルリレーの陸上選手。学校でも人気が高く、この間のバレンタインでもチョコを山ほどもらったらしい。

そして、わたしの彼氏《かれし》でもある。

わたしも桔平《きっぺい》も、自分たちのことをわざわざまわりに報告《ほうこく》するってタイプじゃなくて、

「ゴメン……今さら言わなくてもいいかなあって……」

もじもじっと答えたら、

「じゃあ、ホントだったんだ～！」

「うらやましー！」

キャアキャア騒《さわ》がれちゃった。けれども、彼女《かのじょ》たちの中のひとりが首をかしげた。

「……そのわりには、あんまり一緒《いっしょ》にいるとこ見たことないよね？」

ギクッ。

「だ、だって、向こうはクラスもちがうし、陸上部で忙《いそが》しいしねっ」

あせりつつ、もっともらしい理由を述《の》べると、みんなは「そっかー」と言って納得《なっとく》してくれた。

よかった……。わたしは、ひそかに胸《むね》をなでおろした。

本当のところ、彼《かれ》とは数か月前から疎遠《そえん》になっている。今のわたしたちは、交際《こうさい》しているとはとても言えない状態《じょうたい》だ。その疎遠《そえん》になった理由は、〝クラスがちがうから〟とか、〝部活で忙《いそが》しいから〟とかじゃなくて、もっと他《ほか》にあった。

それは今年のお正月の時のこと。近所の神社にふたりで初もうでに行った帰り、わたしはうっかり階段《かいだん》で足を滑《すべ》らせてしまった。

「危《あぶ》ない！」

桔平《きっぺい》がとっさに助けてくれたのだけど、たまたま、後ろから抱《だ》きしめられる体勢《たいせい》になっちゃったんだ。

ドキンと鼓動《こどう》が大きく波打って、一時停止《いちじていし》されたように動けなくなった。自分を助けるためだと頭ではわかっていたのに、あんまりにもはずかしかったから、「イヤ！」と叫《さけ》んでしまった。

桔平《きっぺい》はパッと手を離《はな》した。

「ゴメン！　おれ……！」

とんでもないことをやらかしてしまった。そんな表情《ひょうじょう》で、わたしを見つめていた。

それ以来、おたがい気まずくて避《さ》けるようになり、今ではそれが普通《ふつう》になってしまったのだった。

あの時、本当は嫌《いや》じゃなかった。

急に抱《だ》きしめられたから、ただ、ビックリしただけなんだ。

今でも桔平《きっぺい》が好き。

それなのに、どうしてこんなふうになってしまったんだろう。

わたしの大事な初恋《はつこい》だったのに……。

そんなある日。廊下《ろうか》をひとりで歩いていると、突然《とつぜん》、だれかに声をかけられた。

「なあ、新木《あらき》さんってどんな子？　同じクラスだろ？」

桔平《きっぺい》だ！

急に目の前に現《あらわ》れた彼《かれ》に、わたしはすっかり気が動転してしまった。ぺらぺらとマシンガンのように一気にしゃべりまくる。

「あっ、新木《あらき》さんはねっ！　え、えーと、かわいくて、清楚《せいそ》で、きれいな子だよっ。頭もよくって、それから……！」

「もういいよ、サンキューな」

口の端《はし》にうっすらと笑《え》みを浮《う》かべてそう言うと、桔平《きっぺい》は行ってしまった。

「桔平《きっぺい》……」

わたしはガッカリした。

話しかけてくれたと思ったら、よりによって他《ほか》の女の子のことを……。

桔平《きっぺい》のバカ！

わたしは、もっとバカ〜！

教室に帰ると、新木《あらき》さんとその友だちが盛《も》り上《あ》がっていた。

「あの桔平《きっぺい》くんと、日曜に動物園に行くんだって〜！」

「遊びに行くんじゃないんだからねっ。校外学習の下見でクラス委員を代表して行くんだからっ」

否定《ひてい》しながらも、うれしそうな新木《あらき》さん。

わたしは愕然《がくぜん》として動けなくなった。

桔平《きっぺい》と新木《あらき》さんが、動物園に？

だから桔平《きっぺい》は、「どんな子？」って聞いてきたんだ。

身も心も粉々《こなごな》になって、崩《くず》れていくような思いがした。

新木《あらき》さんの気持ちが手に取るようにわかる。

新木《あらき》さんも、桔平《きっぺい》が好きなんだ――。

ひとりぼっちで過《す》ごす、何度目かの日曜日がやってきた。わたしは枕《まくら》を抱《だ》いて、ベッドの上に寝転《ねころ》がっていた。一分が一時間に思えるほど、長く感じてしょうがない。

今ごろ桔平《きっぺい》と新木《あらき》さんは、動物園で楽しく過《す》ごしているだろう。もしかすると、まるでカップルのように手をつないで……。

「………！」

嫌《いや》な想像《そうぞう》で頭がいっぱいになってしまった。

ううん、そんなはずない！　と深く頭を振《ふ》った、ちょうどその時。

ゴチンと頭に何かがぶつかって、衝撃《しょうげき》が走った。

「アタタ……！」

頭の横を手で押《お》さえる。どうやら壁《かべ》に頭をぶつけてしまったみたいだ。あまりの痛《いた》さに目を閉《と》じて必死に耐《た》える。

しばらくたって痛《いた》みが治まってから、そっとまぶたを開けると。

「あれ？」

わたしは、いつの間にか外にいた。まわりにはカップルや家族連れが何組もいて、みんな笑顔《えがお》で柵《さく》の中の動物たちを眺《なが》めては笑っている。ここは動物園だ！

うそ、やだ、どうして……!?

すると、キリンの檻《おり》の前に、桔平《きっぺい》と新木《あらき》さんの姿《すがた》を見つけた。

「矢島《やじま》くん、あたし、前から矢島《やじま》くんのことが好きだったの……」

雨粒《あめつぶ》のようにポツンポツンと静かに落ちてくる新木《あらき》さんの声。

その時、呆然《ぼうぜん》と立っているわたしに、桔平《きっぺい》が気づいた。

「実和《みわ》……!」

桔平《きっぺい》もまた青ざめた顔で、わたしを見つめている。

キリンの檻《おり》を向いていた新木《あらき》さんが、「えっ?」とこちらを振《ふ》り返《かえ》りそうになった。

「やだ!」

思わずそう叫《さけ》び、目をギュッと閉《と》じる。おそるおそる目を開けると、自分の部屋に戻《もど》っていた。

わたし、もしかして幽霊《ゆうれい》になってた……?

生《い》き霊《りょう》になってしまうほど、桔平《きっぺい》が好きなんだ……!

わたしは膝《ひざ》を抱《かか》えてポロポロと涙《なみだ》をこぼした。

どのくらいの時間がたったんだろう。

ピンポーンとインターフォンの音が聞こえた。

家族は出かけてしまっていて、今、家にはわたししかいない。重い腰《こし》を上げて、玄関《げんかん》へと向かうと。

「すみません！　実和《みわ》さん、いますか⁉」

「桔平《きっぺい》⁉」

思わぬ訪問者《ほうもんしゃ》におどろいて、つい声をあげてしまった。

「実和《みわ》？　そこにいるのか？　よかった！　実和《みわ》が無事で……！」

「えっ、どういう意味？」

「さっきおかしなことがあったんだ。実和《みわ》が突然《とつぜん》、おれの前にフッと現《あらわ》れたかと思ったらすぐ消えたんだよ。真昼の幽霊《ゆうれい》みたいに。だから実和《みわ》の身に何か起きたんじゃないかって、急いで来たんだ」

「桔平《きっぺい》、おかしいよ。そ、そんなこと起きるはずないよ。わたし、今日はずっと家にいたし……。それより新木《あらき》さんはどうしたの？」

「新木《あらき》さん？」

「わたしの無事を確《たし》かめたいならメッセージでよかったのに。はやく戻《もど》ったほうがいいよ。新木《あらき》さん、怒《おこ》っちゃうよ」

「だいじょうぶだよ、新木《あらき》さんには謝《あやま》ってきた。ていうか……告白《こくはく》されたけど、断《ことわ》った」

「ええっ！」

おどろきのあまり、わたしはガチャッとドアを開けた。

「なんでそんなことしたの？」

「おれには実和《みわ》しかいないから」

信じられない思いで桔平《きっぺい》を見つめた。

「まぼろしが見えるくらい、おれは実和《みわ》が好きなんだ」

じわっと目頭《めがしら》が熱くなって、口もとが歪《ゆが》んだ。

今までこらえてきた思いがあふれ出す。

「わたしも桔平《きっぺい》が好き……！　あの時だって、ホントはイヤじゃなかったんだよ！」

桔平《きっぺい》の胸《むね》に自分から飛びこんだ。

ところが、スカッと桔平《きっぺい》の体を通《とお》り抜《ぬ》けてしまったんだ。

「えーっ、どうなってるの⁉」

「やべっ、おれ、幽霊《ゆうれい》になってるのか⁉」

同時に叫《さけ》んだ。

「わかったぞ！　おれ、はやく実和《みわ》に会いたくて、体を置いてきちゃったんだ……！

どうりで、走ってる時メチャクチャ軽いと思ったわけだ」

なあんて言うんだもん。

フフッ、幽体離脱《ゆうたいりだつ》ができちゃうカップルなんておかしいよね。

「はやく取りにいってきて。待ってるから」

♥episode - 17

推《お》しと田舎《いなか》で出くわしました

『今まで、応援《おうえん》ありがとう。海野久斗《うみのひさと》は本当に幸せでした』

もう何十回目だろうか。久斗《ひさと》の引退時《いんたいじ》のライブ動画に目を潤《うる》ませ、スマートフォン画面にうんうんとうなずくのは。停止《ていし》ボタンをタップした私《わたし》は、畳《たたみ》の上にごろんと寝転《ねころ》がり、今度はすぐそばに置いていた久斗《ひさと》の写真集を手に取った。切れ長の目、きたえられた肉体美。同じ十代なのに大人《おとな》の色気がすばらしい。

窓越《まどご》しに、けたたましいほどの蝉《せみ》の声。グリーンカーテンのすきまから射《さ》す、まだらもようの日差し。田舎《いなか》の夏は、時間がゆっくりと過《す》ぎる気がする。つまり、ヒマだ。

「ねーちゃん、そろそろばーちゃんの手伝《てつだ》いにいく時間だろ」

かたわらに座《すわ》っていた小五の弟の純平《じゅんぺい》が、ゲーム機の画面から目を離《はな》さずに言ってきた。純平《じゅんぺい》も手伝《てつだ》いなさいよ、と思いながらも、重い腰《こし》を上げてエプロンを羽織《はお》る。そして、定食屋につながっている廊下《ろうか》へと出た。

私《わたし》と純平《じゅんぺい》は、昨日《きのう》の夕方から、田舎《いなか》のおばあちゃんちに泊《と》まりに来ていた。おばあちゃんの定食屋を手伝《てつだ》いながら、一週間のんびりしてきなさい、と親から言われたのだ。

弟と田舎《いなか》で一週間……高一の女子高生として、どうなんだろうか。

カウンターとテーブル席が三つのせまい店に出ると、エアコンが効《き》いていて涼《すず》しかった。すでに隅《すみ》のテーブルに帽子《ぼうし》とマスクを装着《そうちゃく》した若《わか》い男の人がひとり。十一時半なのに早いな、と思いながら、料理をつくるおばあちゃんのところまで行く。

「あぁ、ちょうどよかった亜由子《あゆこ》ちゃん。これお願いね」

昨日《きのう》の夜に接客《せっきゃく》について少し教えてもらっていたけれど、アルバイトをしたことがない私《わたし》にとっては初経験《はつけいけん》でドキドキする。肩《かた》に力を入れながら、湯気ののぼるおいしそうなかつ丼《どん》のお盆《ぼん》を、テーブルの帽子男《ぼうしおとこ》のもとへ運んだ。

「お待たせしましたー……どう」

ぞ、の部分で、固《かた》まる。なぜなら、その人がマスクを取り、整った顔があらわになったからだ。そして次の瞬間《しゅんかん》、ついさっきまで見ていた顔と酷似《こくじ》していることに気づく。「どうも」と目も合わせずにそう言った彼《かれ》の声にも、聞き覚えがあった。お盆《ぼん》を置いた私《わたし》は息を止め、くるりとまわれ右をしておばあちゃんのもとへと戻《もど》る。その間、背中《せなか》に全集中。心臓《しんぞう》がこれでもかというほど早鐘《はやがね》を打ちはじめ、頭の中がハテナで充満《じゅうまん》する。

なんで？　嘘《うそ》だ、ありえない。幻覚《げんかく》？　私《わたし》の激推《げきお》し元アイドル、海野久斗《うみのひさと》がこんな田舎《いなか》にいるなんて。しかも、私《わたし》のおばあちゃんの料理を食べに来ているなんて。

十五分もせずに食べ終えた彼《かれ》の会計も、私《わたし》がやることになった。一万円札を預《あず》かり、手間取りながらもお釣《つ》りのお札を渡《わた》す。そして、ちらりとまた彼《かれ》の顔を盗《ぬす》み見《み》た。マスクをしているけれど、右眉《みぎまゆ》の下の小さなほくろ……やっぱり久斗《ひさと》だ。幻覚《げんかく》ではない。

「あの……もしかして、海野《うみの》さんですか……？」

小銭《こぜに》を返しながら尋《たず》ねると、間《ま》があった。上目遣《うわめづか》いでおそるおそる確認《かくにん》すると、久斗《ひさと》はとてつもない仏頂面《ぶっちょうづら》。盛大《せいだい》なため息をつかれ、しまった、と後悔《こうかい》する。

「……そうだけど、何？　SNS《エスエヌエス》で拡散《かくさん》するわけ？」

「いえっ、そんなことぜったいにしないです！　ただ、なんでこんな田舎《いなか》にいるのかな、って思っただけで」

「引退後《いんたいご》にゆっくりしたくて、この夏休みの間だけ親せきの家に世話になってるだけ。ここ、めっちゃ田舎《いなか》だし若《わか》い人あんまりいないみたいだから、せっかく身バレせずに過《す》ごせると思ったんだけど」

じとっと見られ、目が合ったことで肩《かた》が上がった。私《わたし》はぶんぶんと首を横に振《ふ》り、

「私《わたし》、一週間後にはA県に戻《もど》るし、ゆっくりするのぜったいにじゃましませんので、あの、ご、ご安心ください！　信じてください！」と、手のひらを見せる。

すると、一瞬《いっしゅん》きょとんとした久斗《ひさと》が、マスク越《ご》しに短く吹《ふ》き出《だ》した。

「あらあら、もしかして知り合いだったの？　ふたりとも」

私《わたし》たちがしゃべっているものだから、おばあちゃんがレジのところまでやってきた。おばあちゃんは、久斗《ひさと》のことを知らないようだ。私《わたし》は、久斗《ひさと》が元アイドルだとバレない

ように、また首を振《ふ》る。

「そうなの？　じゃあ、紹介《しょうかい》しなきゃね。この子は、私《わたし》の孫の亜由子《あゆこ》ちゃん。そしてこのお客様は、最近毎日のように食べに来てくれる佐藤《さとう》さんて方」

佐藤《さとう》さん？　そうか、久斗《ひさと》は身バレしないように偽名《ぎめい》を使っているのか。毎日のように来ているって……久斗《ひさと》の滞在先《たいざいさき》の親せきの人、昼間は仕事で不在《ふざい》ってこと？

「たしか、釣《つ》りが好きだって言ってたわよね？　亜由子《あゆこ》ちゃん、佐藤《さとう》さんはこのへん詳《くわ》しくないみたいだから、純平《じゅんぺい》と一緒《いっしょ》に川とか海とか案内してあげたら？　おじいちゃんが生きてたころ、しょっちゅう釣《つ》りについていってたから覚えてるでしょ？」

おばあちゃんの突拍子《とっぴょうし》もない提案《ていあん》に、私《わたし》は久斗《ひさと》と顔を見合わせた。その顔が推《お》しの顔なので、こりもせずに心拍《しんぱく》が乱《みだ》され、私《わたし》はごくんと生唾《なまつば》を飲んだのだった。

翌日《よくじつ》の早朝、おばあちゃんちの裏山《うらやま》から入って十分ほど歩いたところにある川。

「うわっ！　また釣《つ》れた！」

「すげー、すげー！　お兄ちゃん、何匹目《なんびきめ》？」

今まで画面越《がめんご》しで見ていたはずのクールな久斗《ひさと》が、岩の上でうちの弟と大はしゃぎで騒《さわ》いでいるのを眺《なが》める。しかも、純平《じゅんぺい》は久斗《ひさと》のことを「お兄ちゃん」と自然に呼《よ》んでいて、なんだこの状況《じょうきょう》、としか思えない。

私《わたし》が海野久斗《うみのひさと》の大ファンだと知っている純平《じゅんぺい》には、昨夜《さくや》、ぜったいにそのことは黙《だま》っていてほしいとお願いした。久斗《ひさと》が周囲《しゅうい》に騒《さわ》がれたくないということも伝え、名前も「佐藤《さとう》さん」と呼《よ》ぶように言って聞かせた。けれど、うっかり言ってしまいそうだから「お兄ちゃん」呼《よ》びになったのだろう。我《わ》が弟ながら感心だけれど、ちょっとはずかしい。

「亜由子《あゆこ》は釣《つ》らないの？」

しかも、なぜか久斗《ひさと》に名前呼《なまえよ》びされている。いちいちドキドキしながら、

「純平《じゅんぺい》が釣《つ》れたらかわります」

と返す。緊張《きんちょう》を悟《さと》られないように、そして久斗《ひさと》が気兼《きが》ねなく過《す》ごせるように、なるべく淡々《たんたん》と会話しなければ。

しばらく釣《つ》りを楽しんだあとは、川遊びをした。純平《じゅんぺい》は久斗《ひさと》にすっかりなつき、ふたりとも短パンが濡《ぬ》れるのもかまわず水に入って、カニ探《さが》しをしたり、水をかけ合ったり。時折コケで滑《すべ》りそうになる純平《じゅんぺい》の手を引き、本当のお兄ちゃんのように接《せっ》している久斗《ひさと》。その様子を見て、久斗《ひさと》もこんな一面があるんだな、とつくづく不思議《ふしぎ》に思った。

十一時過《す》ぎに定食屋に戻《もど》ると、おばあちゃんがすぐに三人分のお昼ごはんを出してくれた。並《なら》んだビーフカレーを見て、私《わたし》たちは条件《じょうけん》反射《はんしゃ》のようにおなかを鳴らす。

久斗《ひさと》は「これこれ、今日はこれの気分だった」と喜《よろこ》んで食べた。あとからおばあちゃんに聞くと、久斗《ひさと》はローテーションで、かつ丼《どん》、ビーフカレー、唐揚《からあ》げ定食、肉うどんを食べているらしい。

「……昨日《きのう》は、嫌《いや》な態度《たいど》取って悪かったな」

純平《じゅんぺい》がトイレに立つと、食べ終えて水を飲んだ久斗《ひさと》が謝《あやま》ってきた。私《わたし》は口の中のカレーをモグモグしながら、首をかしげる。

「身バレしたことに腹《はら》が立っちゃってさ、感じ悪かっただろ？」

ああ、とうなずいてすぐに、あわてて首を振《ふ》って口を空《から》にし「全然っ！」と否定《ひてい》する。

「俺《おれ》、ちょっとトラウマになっててさ。職業柄《しょくぎょうがら》、しかたないとはわかってても、やっぱりストーキングされたり、SNS《エスエヌエス》で私生活《しせいかつ》さらされたり、好き勝手言われたりするのがキツくて。ファンの子たちもありがたい存在《そんざい》だったけど、一部には行きすぎた幻想《げんそう》をもたれて、そこから外れたことをすると、手のひらを返したように叩《たた》かれたりしてさ……」

うつむきがちに話す久斗《ひさと》に、胸《むね》が痛《いた》くなった。そして、自分が大ファンだったことはぜったい言ったらダメだ、と改めて心に誓《ちか》う。

「ここにいる間は、大丈夫《だいじょうぶ》だよ！　あ、ごめんなさい。だ、大丈夫《だいじょうぶ》です！　だから、羽を伸《の》ばして、都会じゃできないことをしてリフレッシュするのがいいかと！」

力いっぱいそう言うと、また久斗《ひさと》は笑った。

「亜由子《あゆこ》、何歳《なんさい》？」

「十六です」

「俺《おれ》、十七だから、ひとつしか変わらないじゃん。タメ口でいいよ」

う……その笑顔《えがお》は、反則《はんそく》だ。ファンじゃなくても心臓《しんぞう》を射抜《いぬ》かれる。私《わたし》は、胸《むね》を押《お》さえながら「はい……じゃなかった、うん！」と返事をしたのだった。

その日から連日、朝から三人で定食屋前に集まり、一緒《いっしょ》に遊びにいくようになった。というのも、純平《じゅんぺい》が釣《つ》りに大ハマりし、久斗《ひさと》に一緒《いっしょ》に行こうとせがんだからだ。


「うわー、この魚、でかっ！」

「大物じゃん、純平《じゅんぺい》！　写真、写真！　亜由子《あゆこ》、スマホある？」

「うん、ある！　ちょっと待って」

「お兄ちゃんもねーちゃんも一緒《いっしょ》に撮《と》ろうよ！」

「はい、チーズ！」


三人で写真を撮《と》ったり、釣《つ》りと海水浴を兼《か》ねて三十分くらい歩いたところにある海に行ったり、カブトムシを探《さが》しに山にも行ったりした。昼には、おばあちゃんのおいしい料理を一緒《いっしょ》に食べて「また明日ね」と手を振《ふ》って別れる。

久斗《ひさと》は、想像《そうぞう》していた海野久斗《うみのひさと》とはちがい、全然大人《おとな》っぽくなかった。純平《じゅんぺい》と同レベルではしゃぐし、バカ笑いもするし、いじわるも言うし、そのへんの男子高校生と同じだ。でも、なぜかイメージとちがったことに対して幻滅《げんめつ》はしていない。むしろ、アイドルだった久斗《ひさと》とはまったく別の人間という感じがする。

私《わたし》……こっちの久斗《ひさと》のほうが好きだな。

スマートフォンで撮《と》った写真を見ながら心の中でつぶやき、ちょっとはずかしくなる。

あんなにヒマだと思っていたのが嘘《うそ》みたいだ。なんだかんだで、私《わたし》は田舎《いなか》の夏を満喫《まんきつ》していた。いや、久斗《ひさと》と一緒《いっしょ》に過《す》ごす最初で最後の夏を、思いきり楽しんでいた。

あっという間に、家に帰る前日になった。

今日も午前中に川遊びをし、おばあちゃんの定食屋に戻《もど》る。けれど、席に着いたとたん、久斗《ひさと》がぐったりしたようにテーブルに突《つ》っ伏《ぷ》してしまった。

「あらあら。熱中症《ねっちゅうしょう》かもしれないから、亜由子《あゆこ》ちゃん、奥《おく》に通して寝《ね》させてあげなさい」

たしかに、顔が火照《ほて》っているように見える。私《わたし》は、なんとか歩ける久斗《ひさと》を畳《たたみ》の部屋に通して横たわらせ、保冷枕《ほれいまくら》や飲み物を準備《じゅんび》した。

「大丈夫《だいじょうぶ》？」

「あぁ、悪いけど、少しだけこのまま休ませてもらう。純平《じゅんぺい》と先に食べてて」

そう言うと久斗《ひさと》はすぐに眠《ねむ》ってしまい、私《わたし》は気になりつつもお店のほうへ戻《もど》った。

食事を終え、しばらくしてから、久斗《ひさと》の寝《ね》ている部屋に様子を見にいく。すると、体調がちょっとはよくなったのだろうか、久斗《ひさと》は背《せ》を向けて座《すわ》っていた。

「ごはん食べられそう？」

「これ、亜由子《あゆこ》の？」

声をかけると、硬《かた》い声とともに、久斗《ひさと》が何かを手に持って振《ふ》り返《かえ》った。そのとたん、私《わたし》は口を押《お》さえる。久斗《ひさと》が持っていたのは『海野久斗写真集《うみのひさと》』だった。お気に入り写真には付箋《ふせん》を貼《は》っているほどの、何度も何度も見返した宝物《たからもの》の写真集。なんで、この部屋に置きっぱなしにしてしまったのだろう。

「いや、あの、それは……」と説明しようとするも、取《と》り繕《つくろ》えるような嘘《うそ》が出てこない。

「もしかして、もともと俺《おれ》のファンだったのか……？」

言いのがれを許《ゆる》さないような声。私《わたし》は身を縮《ちぢ》こませながら、ゆっくりとうなずいた。

すると即座《そくざ》に久斗《ひさと》は立ち上がり、写真集を畳《たたみ》に投げつける。

「すげーな、ここまで追いかけてくるとか」

「ちがう！　それは本当に偶然《ぐうぜん》で」

「俺《おれ》と一緒《いっしょ》に撮《と》った写真、ぜんぶ消しておいて。拡散《かくさん》とかしたら許《ゆる》さねーから」

今まで聞いた中でいちばん冷ややかな声でそう言《い》い捨《す》て、久斗《ひさと》は部屋を出ていった。

私《わたし》は、怖《こわ》さと悲しさと、久斗《ひさと》を傷《きず》つけてしまった後悔《こうかい》で、頭の中が真っ白になる。

これは、ファンであることを隠《かく》して近づきすぎた罰《ばつ》だ。久斗《ひさと》のことを思うんだったら、最初から声をかけるべきじゃなかったんだ。……最低だ、私《わたし》……。

写真を消しながら、頬《ほお》をひと筋《すじ》の涙《なみだ》が伝った。

翌朝《よくあさ》、おばあちゃんに別れを告《つ》げた私《わたし》と純平《じゅんぺい》は、駅に向かうバスの停留所《ていりゅうじょ》へと歩いていた。駅から新幹線《しんかんせん》に乗り、遠く離《はな》れた我《わ》が家《や》へと戻《もど》るのだ。

昨日《きのう》のことを思い出してため息をつきながら歩いていると、バス停《てい》に人影《ひとかげ》が見えた。近づくにつれ、それが久斗《ひさと》だということに気づき、目を見開いて足を止める。

「なんで……」

「昨日《きのう》、純平《じゅんぺい》が俺《おれ》のことを追いかけてきたんだ」

純平《じゅんぺい》を見ると、照《て》れ隠《かく》しなのだろうか、べつに、という顔でそっぽを向いた。久斗《ひさと》の話によると、ここで久斗《ひさと》と会ったことは偶然《ぐうぜん》だということ、姉の私《わたし》は久斗《ひさと》を身バレさせて困《こま》らせないようがんばっていたことを、純平《じゅんぺい》が一生懸命《いっしょうけんめい》説明したらしい。

「つい、頭に血がのぼっちゃって……。ひと晩《ばん》たって、頭が冷えたんだ。ごめん、あんな言い方して。最低だった」

「や、でも、私《わたし》がファンだってことを黙《だま》っていたのは事実だし……嫌《いや》な気持ちにさせて、こっちこそ本当にごめんなさい」

おたがいに頭を下げたあとでゆっくりと顔を上げると、しっかり視線《しせん》が交わった。目の前の、十七歳《さい》等身大の海野久斗《うみのひさと》に対して、ぎゅうっと胸《むね》の奥《おく》がつかまれた気がした。

「次は、いつ、ここに来る予定？」

久斗《ひさと》は首の後ろを押《お》さえ、明後日《あさって》の方向を見ながら聞いてきた。

「俺《おれ》は冬にまた来るつもり。あの定食屋のメシ好きだし、あと、冬でも魚釣《つ》れそうな川があるから」

目をパチパチさせていると、久斗《ひさと》は早口でつけ加える。すると、「僕《ぼく》も、また冬にぜったい来る！」と、純平《じゅんぺい》に先を越《こ》されてしまった。

「……私《わたし》も」と照れた顔を隠《かく》すようにうなずくと、久斗《ひさと》が口の端《はし》を上げたのが見えた。

「写真、また撮《と》ってもいいの？　お兄ちゃん！」

「あー……おまえのねーちゃんのカメラの中だけに留《とど》めておけるならな」

ぶっきらぼうなその言い方と、私《わたし》に向けた不敵《ふてき》な笑顔《えがお》。その顔にまたもや胸《むね》を射抜《いぬ》かれた私《わたし》は、自分の心のカメラのシャッターを押《お》したのだった。

♥ episode - 18

おどろくべき偶然《ぐうぜん》

「天音《あまね》と大地《だいち》って、本当に似《に》てるよね～」

友だちのそんな言葉に、わたしはいつものように笑った。

「わたしと大地《だいち》が？　やめてよ～、あんなガサツなやつと～」

「オイ、天音《あまね》。だれがガサツだって？　コラ」

振《ふ》り返《かえ》ると苦い顔で腕《うで》組《ぐ》みをした大地《だいち》が立っていて、わたしはまた笑う。

学校の教室の、いつもの風景だ。

天音《あまね》ことわたしは小学五年生。大地《だいち》も同い年で、なんと一年生からずっと同じクラスだった。低学年のころは接点《せってん》がなかったけれど、三年生で新任《しんにん》の先生に自己紹介《じこしょうかい》する時に誕生日《たんじょうび》が同じ日だと知ってから、おたがいに親近感をもったのか、急速に仲良くなった。今では、クラスメイトからはすっかりいいコンビ扱《あつか》いをされている。

「そんなに言うほど似《に》てねえだろ、オレと天音《あまね》」

どこか不満そうな大地《だいち》に、友だちが呆《あき》れ顔《がお》で返す。

「似《に》てるって！　大地《だいち》が好きなものって、だいたい天音《あまね》と同じでしょ？　三毛ネコに〜、チョコミントアイスに〜、ナポリタンのスパゲッティに〜、いちごに〜、水族館に〜、好きな色は赤で〜、好きな教科は国語で〜、好きな歌手は――」

指を折って数える友だちに、大地《だいち》は「まあ……」と気まずそうだ。わたしはその様子がおかしくてたまらない。

実は、大地《だいち》と似《に》ていると言われることは、そんなに嫌《いや》ではなかった。

スポーツ万能《ばんのう》な大地《だいち》が人気者だからということもあるが、何より一緒《いっしょ》にいると楽しいし、趣味《しゅみ》が合うから会話も弾《はず》む。気が合う、というのはこういうことなのだろう。

「なんか顔も似《に》てるように見えてきちゃった。誕生日《たんじょうび》も同じだしさ、もしかしてあんたたちって双子《ふたご》なんじゃないの？」

（あれ……？）

そんなわけないだろ、と言い返す大地《だいち》を見ながら、わたしのほうは、ふと変な考えが頭をよぎった。

（そういえば顔も……ちょっと似《に》てきたような……。まさか……ね）

その日から、わたしの中でどんどん疑問《ぎもん》が大きく膨《ふく》らんでいった。

わたしと大地《だいち》が双子《ふたご》。そう言われても納得《なっとく》してしまうくらい、大地《だいち》はわたしと『似《に》すぎている』のだ。

たとえばいくつかのものの中からひとつのものを選ぶ時、わたしと大地《だいち》はだいたい同じものを選んでいる。係もよく同じになるし、わたしが図書室で借りた本を、返却《へんきゃく》したあとに大地《だいち》が借りているのを見かけたことだって何度もある。使っている文房具《ぶんぼうぐ》も同じメーカーのものが多い。運動神経抜群《うんどうしんけいばつぐん》の大地《だいち》だけどいちばん好きな教科は国語と、これもわたしと同じ。残念ながらわたしの運動神経《うんどうしんけい》はそれほどよくはないけれど。

とにかく、好みや考え方が似《に》ているのはまちがいない。

(こんなに似《に》ることってある？　偶然《ぐうぜん》にしたって、いくらなんでも重なりすぎなんじゃないかな……)

あれからわたしはよく鏡を見るようになったんだけど、たしかに目の形とか口の形とか、大地《だいち》と似《に》ている気がする。

さすがに気になってきて、ある時、お母さんにそれとなく聞いてみた。

「ねえ、お母さん。実はわたしに双子《ふたご》のお兄ちゃんか弟って……いたりしない？」

「なぁにそれ、ドラマの話？　いるわけないじゃないの。あんたはひとりっ子でしょ」

お母さんは夜ごはんの支度《したく》をしながら素《そ》っ気《け》なく答える。でも……なんだろう、あまりに素《そ》っ気《け》なくて、ちょっと嘘《うそ》っぽいような気がする。

わたしはリビングの棚《たな》に並《なら》んでいる家族のアルバムを、こっそりと自分の部屋に持ちこんで、改めてよく見てみた。そこにあるのは、小さいころのわたしとお父さんとお母さんの写真ばかり。双子《ふたご》の兄弟らしい人物は見つけられない。

その時、ふと、生まれたばかりの赤ちゃんのころの写真を見ていて気づいた。一緒《いっしょ》に写っている名札に、わたしの名前が書いてある。

（ちょっと待って。わたしの名前って……天音《あまね》……。天と……地！　大地《だいち》の地！　そうだよ、『天地』っていう言葉があるじゃない！　わたしと大地《だいち》の名前って、本当はペアでつけられた名前なんじゃ……）

疑問《ぎもん》が確信《かくしん》に変わった。

小さな偶然《ぐうぜん》も、たくさん重なったらそれは運命だって聞いたことがある。

もうまちがいないと思ったわたしは、大地《だいち》に直接《ちょくせつ》確《たし》かめることにした。


ある放課後、わたしは大地《だいち》を呼《よ》び止《と》めて、ふたりだけで教室に残った。

「ねえ、大地《だいち》。わたしと大地《だいち》って、似《に》てるよね？」

「は？　え？　そ、そうか……？　そんなことねーと思うけど……」

「ううん、そっくりだよ！　好きなものとか、行動とか！　カオリにも言われたじゃない。こんなにいろいろ同じになる人、他《ほか》にいないよ！」

「いや、それは……ええと……」

大地《だいち》はとまどっているようだ。その目を、わたしは諭《さと》すように見つめた。

「これを言ったら、もうわたしたち、今まで通りの友だち関係じゃいられなくなると思う……。けど、もう言うって決めたの！　わたしたちの名前は『天地』からペアでつけられてる……。わたしたち、本当に双子《ふたご》なんだよ！」

大地《だいち》は、目を丸くしてそれを聞いたあと、しばらくじっと考えこむように黙《だま》ってから、急にあわててぶんぶんと何度も首を横に振《ふ》った。

「ちがうちがう！　何言ってんだ！　双子《ふたご》なわけないだろ！」

「でもわたしたち、いろんなことが同じじゃない！」

「それは！」

大地《だいち》は、しかめた顔をうつむかせて、悩《なや》みが爆発《ばくはつ》したように「ああー」と言って頭を掻《か》きむしってから、観念したようにつぶやいた。

「……それは、合わせてたんだよ。好きなものとか、班《はん》とか係とか、おまえと同じになるように……。国語も苦手だったけど、勉強したんだ……」

「え！　ど、どうしてそんなことを？」

「わかんねーのかよ！　おまえのことが……好きだからだよ！」

大地《だいち》は叫《さけ》んで、真っ赤になっている顔を隠《かく》すように、こっちを見ないまま走って教室を出ていった。

しばらく呆然《ぼうぜん》とその場に立ちつくしていたが、やがて自分の顔がどんどん熱くなっていくのがわかった。

双子《ふたご》じゃなかった。でも、「今まで通りの友だち関係じゃいられなくなる」という言葉だけは事実になりそうだと、胸《むね》のドキドキが教えてくれた。

♥episode - 19

喫茶《きっさ》グレイには恋《こい》がある

葉純《はすみ》には、お気に入りの場所がある。

家から駅に向かう途中《とちゅう》、一本脇道《わきみち》にそれて突《つ》き当《あ》たりまで進むと、『喫茶《きっさ》グレイ』という木の看板《かんばん》と、小さな古民家を改装《かいそう》したお店が現《あらわ》れる。香《かお》ってくるのは甘《あま》い焼《や》き菓子《がし》と、紅茶《こうちゃ》のにおいだ。そして、香《かお》りに胸《むね》を躍《おど》らせながら引き戸を開けると、

「いらっしゃい、葉純《はすみ》ちゃん」

とオーナーである七十代の灰原《はいばら》が声をかけてきた。そして、そばにいる大学生の晃《あきら》が

「今日はふわふわのパンケーキがあるよ」と言って笑う。

この店に、葉純《はすみ》は毎週土曜日の午後二時に訪《おとず》れている。

カウンターに座《すわ》ると、晃《あきら》は葉純《はすみ》ににこりと微笑《ほほえ》む。大学生なのに彼《かれ》は中学生の葉純《はすみ》を

子ども扱《あつか》いしない。ていねいに、ひとりの常連《じょうれん》として接《せつ》してくれる。

葉純《はすみ》は、そんな晃《あきら》が好きだった。

そんな彼《かれ》だから、葉純《はすみ》は初めて出会ったその日に、彼《かれ》のことを好きになった。


この店に足を踏《ふ》み入《い》れたのは、半年前の春だった。

ある土曜日、葉純《はすみ》はヒマをつぶすためにひとりで家のまわりをぶらぶらと散歩していた。本来なら今日は楽しい一日になるはずだったのに、と思いながら歩いていると、いいにおいがして足を止めた。

そこにあったのが、この喫茶店《きっさてん》だ。

中学二年の葉純《はすみ》は、ひとりで喫茶店《きっさてん》に入ったことがない。こんなオシャレな喫茶店《きっさてん》は、子どもが入ってはいけないような気がした。でも、澄《す》んでいるのに、どこかスモーキーさのある不思議《ふしぎ》な香《かお》りに、足が地面に貼《は》りついてしまったように動けない。

どうしようかとしばらく店の前でもじもじしていると、すりガラス越《ご》しに葉純《はすみ》のシルエットが見えていたらしく、ドアを開けて晃《あきら》がひょっこりと顔を出した。そして、葉純《はすみ》に「せっかくだから、休憩《きゅうけい》でもして行く?」と声をかけてきた。

自分から入るのは勇気がいる。けれど手招《てまね》きしてもらえるとほっとする。入っていいんだと頬《ほお》をゆるませて足を踏《ふ》み出《だ》した時、はたと気づいた。

「で、でも、お金……わたし千円しか持ってないん、です、けど」

手にしていたショルダーバッグを握《にぎ》りしめて晃《あきら》に伝えると、彼《かれ》は「千円もあるなら十分《じゅうぶん》だよ。っていうか今の俺《おれ》よりお金持ち!」と親指を立てた。

本当だろうかと不安を抱《いだ》きながらも中に入る。店内はカウンター席が四つ、窓際《まどぎわ》にテーブルがふたつだけで、お客さんはだれもいなかった。

「カウンターでいいですか?」

「えっ、は、はい」

話しかけてきたのはカウンターに立っていたおじいさんだった。葉純《はすみ》を見て「オーナーの灰原《はいばら》です」とていねいに自己紹介《じこしょうかい》され、葉純《はすみ》も同じように名前を名乗った。ドギマギしながらメニューを見ると、値段《ねだん》はどれも千円以下でほっと安堵《あんど》の息を吐《は》く。

でも、種類が多すぎて、どれを注文すればいいのかわからない。コーヒーは飲めないけれど、紅茶《こうちゃ》だけでも十種類以上あった。

迷《まよ》っていると、晃《あきら》が「おすすめは俺《おれ》がブレンドした喫茶《きっさ》グレイティー」と言った。


「はい、今日もこれだよね」

すっかり常連《じょうれん》になった葉純《はすみ》に、晃《あきら》はいつも喫茶《きっさ》グレイティーをいれてくれる。紅茶《こうちゃ》には、灰原《はいばら》がつくったクッキーがサービスで二枚《まい》そえられていた。

差し出された紅茶《こうちゃ》に口をつけると、ふわりと体中に紅茶《こうちゃ》の香《かお》りが広がっていく。おいしい、とつぶやくと晃《あきら》はいつものようにうれしそうに目尻《めじり》を下げた。それを見ると葉純《はすみ》の胸《むね》がキュンと鳴る。

この紅茶《こうちゃ》を飲むたびに、葉純《はすみ》は初めて晃《あきら》に会った日のことを思い出す。

――『何かあった?』

あの日、紅茶《こうちゃ》を飲む葉純《はすみ》に、晃《あきら》は頬《ほお》づえをついて聞いた。

『しょんぼりしてるよ、目が』

そう言われて、葉純《はすみ》はぽろぽろと本音を口にしてしまった。

本当は友だちと遊びに行く予定だった。けれど、先週友だちに彼氏《かれし》ができたため、前日突然《とつぜん》、デートに誘《さそ》われたので遊ぶ予定をキャンセルしたい、と言われたのだ。

小学校からずっと仲のよかった友だちで、葉純《はすみ》はその子の恋《こい》を応援《おうえん》している。それに、初めてデートに誘《さそ》われたのだから、そちらを優先《ゆうせん》したい気持ちもわかる。

でも、葉純《はすみ》は今日、その友だちと遊ぶのを楽しみにしていた。だから、残念で、悲しい。その気持ちがなくならない。怒《おこ》っているわけでも、すねているわけでもない。

その気持ちを正直に話すと、晃《あきら》は、

『楽しみな予定がなくなるのは悲しいよなあ』

とうんうんうなずいた。そして『そういう時は、ミルクを足すといいよ』と葉純《はすみ》の前にホットミルクを置いた。言われるがままに紅茶《こうちゃ》にミルクを足すと、味がまた変わる。

『おいしい……！』

『この店のことは友だちには内緒《ないしょ》だな。葉純《はすみ》ちゃんの、特別な店だから』

にやりと笑って晃《あきら》が言って、何それ、と葉純《はすみ》は吹《ふ》き出《だ》した。

優《やさ》しい言葉をかけてもらったわけじゃない。友だちなんだから許《ゆる》してあげなよ、というようなことも、逆《ぎゃく》に友だちを責《せ》めるようなことも晃《あきら》は言わなかった。

それが、とても心地よくて、葉純《はすみ》はこの店が、そして晃《あきら》のことが、大好きになった。

それから葉純《はすみ》はどうにか晃《あきら》と近づきたくてこうして毎週ひとりで通っている。

晃《あきら》は大学生で葉純《はすみ》は中学生だ。子ども扱《あつか》いはしないとはいえ、晃《あきら》が葉純《はすみ》を恋愛対象《れんあいたいしょう》として見てくれないだろうことはわかっていた。それでもよかった。

でも――。

「あ、晃《あきら》ー」

ドアが開いて、ひとりの女性《じょせい》が入ってきた。ショートカットの髪型《かみがた》でかっこいい雰囲《ふんい》気《き》の女性《じょせい》に、晃《あきら》は「よう、凜《りん》」と親しげに返事をする。

ここ一か月、彼女《かのじょ》は毎週晃《あきら》に会いにやってくる。そしてカウンターに入り、晃《あきら》の体に自然に触《ふ》れて話をする。ふたりの様子は、客と店員ではないし、ましてや友だちでもない。だって、距離《きょり》がとても近く、晃《あきら》の態度《たいど》も砕《くだ》けている。

だから、葉純《はすみ》にはわかってしまった。彼女《かのじょ》は晃《あきら》の恋人《こいびと》だ、と。

彼女《かのじょ》は晃《あきら》にぐいと顔と近づけて、耳元で何かを話してから「じゃあまた、あとで」と満面の笑《え》みで颯爽《さっそう》と出ていく。葉純《はすみ》と一瞬《いっしゅん》目を合わせると、彼女《かのじょ》は小さく頭を下げた。

すてきな人だと思う。それにふたりが並《なら》ぶと、とてもお似合《にあ》いだ。

どれだけこの店の常連《じょうれん》になっても、仲良くなっても、葉純《はすみ》は決して晃《あきら》とつき合えない。

それどころか、晃《あきら》の彼女《かのじょ》の姿《すがた》を見て苦しい思いをするだけ。

だから今日で、最後にしよう。

葉純《はすみ》はそんな決心をして今日、店にやってきた。

「どうしたの？　今日の紅茶《こうちゃ》いまいちだった？」

「え？　いや、お、おいしいです」

晃《あきら》に不安そうに言われて、ハッとして答える。晃《あきら》の顔が思ったよりも近くにあり、葉《は》純《すみ》の心臓《しんぞう》が大きく震《ふる》えた。そして、

「すごく、好きです」

葉《は》純《すみ》の口からぽろりと、言葉がこぼれる。

それは、紅茶《こうちゃ》ではなく――晃《あきら》に向けての言葉だった。

「すごく、あたたかくて、優《やさ》しくて、ほっとします。毎日、恋《こい》しくなります」

ティーカップを両手で包んで紅茶《こうちゃ》に映《うつ》る自分を見つめ言葉を続ける。

「似合《にあ》うようなすてきな大人《おとな》になりたいって、いつも、思うんです」

告白《こくはく》する勇気はない。でも、紅茶《こうちゃ》の感想に想いを乗せて伝えるくらいなら。

ドキドキしながら言ってしまったことにはずかしさを感じていると、

「ここがうちのおじいちゃんと弟がやってる店ー！」

という明るい声が聞こえてきた。視線《しせん》を向けると、さっき出ていった女性《じょせい》が隣《となり》に男性《だんせい》を連れて店に入ってくる。ふたりは腕《うで》を組んでいて、女性《じょせい》は晃《あきら》に「おすすめよろしく！」

と言ってからテーブル席に着いた。

「……え？　え？」

どういうことだとパニックになっていると、灰原《はいばら》がそっと葉純《はすみ》に近づいてきた。

「あの子は晃《あきら》の双子《ふたご》の姉の、凛《りん》だよ」

「――え！」

そんなベタな勘違《かんちが》いをするなんて！　しかも灰原《はいばら》がそれを葉純《はすみ》にこっそり伝えてきたということは、葉純《はすみ》の気持ちがバレバレだったということだ。はずかしすぎる！

瞬時《しゅんじ》に顔が赤くなって、口をはくはくさせる。

晃《あきら》はそんな葉純《はすみ》の様子に気づかず、凛《りん》たちの分《ぶん》の紅茶《こうちゃ》をブツブツ文句《もんく》を言いながらいれていた。そして、「あ、さっきの感想、ありがとな。自信つくよ」と葉純《はすみ》を見る。

「でもちょっと告白《こくはく》されてるみたいでドキッとしちゃったなあ」

葉純《はすみ》ははずかしさのあまり返事をすることができず、かわりに紅茶《こうちゃ》を一口飲んだ。

いつもはおいしいはずの晃《あきら》の紅茶《こうちゃ》が、今日だけは味がわからなかった。

● 執筆担当

麻沢 奏（あさざわ・かな）

鹿児島県出身。「イアム」名義でも活動中。著書に「放課後」シリーズ、『笑っていたい、君がいるこの世界で』『ウソツキチョコレート』（以上、スターツ出版）、『あの日の花火を君ともう一度』（双葉社）などがある。

ココロ 直（こころ・なお）

佐賀県出身。『夕焼け好きのポエトリー』で2002年度ノベル大賞読者大賞受賞。「アリスのお気に入り」シリーズ（集英社）ほか少女向けライトノベルを中心に執筆。PHP研究所での著作は「メランコリック」シリーズ、『ナユタン星からのアーカイヴ』。

このはな さくら

愛知県出身。2015年『1％』(KADOKAWA)でデビュー。著書に「スキ・キライ相関図」「海斗くんと、この家で。」シリーズ（以上、KADOKAWA)、「この恋は、ぜったいヒミツ。」シリーズ（スターツ出版）などがある。

櫻 いいよ（さくら・いいよ）

奈良県出身、大阪府在住。2012年『君が落とした青空』(スターツ出版)でデビュー。著書に『イイズナくんは今日も、』『世界は「　」で満ちている』（以上、PHP研究所)、『交換ウソ日記』（スターツ出版）などがある。

装丁・本文デザイン　根本綾子（Karon）
カバーイラスト　ふすい
本文イラスト　もりょ
DTP　山名真弓（Studio Porto）
校正　株式会社夢の本棚社
編集制作　株式会社童夢

3分間ノンストップショートストーリー
ラストで君は「キュン！」とする　運命の初恋《はつこい》

2023年2月6日　第1版第1刷発行
2025年3月6日　第1版第2刷発行

編　者　PHP研究所
発行者　永田貴之
発行所　株式会社PHP研究所
東京本部　〒135-8137　江東区豊洲5-6-52
児童書出版部　TEL 03-3520-9635（編集）
普及部　TEL 03-3520-9630（販売）
京都本部　〒601-8411　京都市南区西九条北ノ内町11
PHP INTERFACE https://www.php.co.jp/
印刷所・製本所　TOPPANクロレ株式会社

ISBN978-4-569-88088-4

NDC913　191P　20cm